愛国心

日本、台湾――我がふたつの祖国への直言

金　美齢

ワニブックス
|PLUS|新書

まえがき

■コロナで露呈した「日本人の国家意識」

二〇二〇年、新型コロナウイルス感染症（COVID-19）が世界で猛威をふるい、各国は対応に追われています。中国・武漢から世界中に広がったとみられるこの感染症は日本にも大きな影響を及ぼし、四月には安倍晋三総理が史上初めて「緊急事態宣言」を発する事態にもなりました。

こうした事態に際し、改めて考えさせられたのは、日本人が自分と国家との関係をどのようにとらえているのか、ということでした。

緊急事態宣言に先んじて、安倍総理は二月二十七日に「一斉休校要請」を発表しました。ウイルス蔓延を防止するための決定で「全国全ての小学校、中学校、高等学校、特別支援学校について、来週三月二日から春休みまで臨時休業を行うよう要請」するというものでしたが、人々の間からは一斉に非難の声が上がりました。

「急すぎる」

「共働き家庭なのに、日中の子供をどうすればいいんだ」

こうした反応を見るにつけ、私は「また日本人の悪いところが出たな」と感じました。お上の判断に頼る一方で、指示されると文句を言う。何もかも政府の責任にして、自分たちは文句を言っているだけでいいという甘えた態度です。

要請には「拙速だ」という批判も多く出ました。しかし防疫にはスピードが重要で、あちこち根回ししている間に蔓延しかねないのです。

しかも休校はあくまでも「要請」で、各都道府県がその要請を受けて実際に学校を休校にするか否かを決める。実際、当初は「県内に感染者が出るまでは通常通り開校する」「学校にいる方が安全」などの理由で、開校を決めた自治体もありました。また、埼玉県は「一人で過ごすことが難しい子の居場所を確保するため」として、特別支援学級のみ休校を見送りました。

これこそが「地方自治」のあるべき姿ではないでしょうか。政府からの要請はそれとして参考にしつつ、自分で判断する。個別の事例に合わせて調整し、その判断によって生じた責任は自分たちで負う。こうした当たり前のことがレアケースになってしまうのが、今の日本の現状なのです。

　そもそも子供の健康、そして教育について第一に責任を負うのは親です。予期せぬ事態に戸惑う気持ちは分からなくもありませんが、戦争が起きたわけでもなし、誰にとっても初めての事態にあっては、最終的には自分たちで考えて判断するしかないのです。なにより、なぜもう少し前向きに事態をとらえられないのか、と私は感じました。

　発想を転換して、これまで子供がなかなか機会を得られなかった読書の時間を設けたり、祖父母の家に預けたりと、やりようやアイデアはいくらでもあるはずです。実際に、様々な方法で家庭での生活を楽しむ方法を考えた家族もたくさんいます。

　こうした不測の事態に、親がどう対処するのかを、子供はよく見ています。そして、子供も「自分はどういう点で生活に協力できるのか」「普段と違う状況になったら、自分は何を我慢しなければならないのか」を知る。これもいざというときの学びだと思って、でき得る限りの工夫をまずは試みるのが先ではないか、と感じたのです。

　何もかも、家の中のことまで国が面倒を見てくれるわけではありません。コロナに関して政府や地方自治体を非難するばかりの人たちの慌てぶりを見て、災害等で「非日常」を経験してきたはずの日本であっても、違ったケースの「非日常」に直面すると、こうも狼狽するのかという思いさえ持ちました。

■国家意識はないのに「公助」ばかりに頼ろうとする依存心

本来、危機には、「自助・共助・公助」の順で対処すべきです。まずは自分たちで何とかする。その次は周りの人たちとの協力で乗り越える。もちろん、そのためには普段からの人付き合いが重要になります。そして、最後が公助、つまり政治です。国がはじめから何もかもおんぶにだっこで、家庭内の子供の扱いまであれこれ指示するわけではないのです。

しかも今回の新型肺炎の蔓延は、ある種の天災です。グローバル化の負の側面が露呈した格好で、法律や移動制限の網の目をくぐってウイルスは侵入し、蔓延する。そうした疫病に対して、どう対処するか。政府が国民に対して国として出来得る限りのことをするのは当然で、だからこそ安倍総理は二月半ばに中国へチャーター機を飛ばし、在中邦人を連れ帰った。これは国にしかできないことです。

国民の側も、自分でできることはできる限りするのが当たり前で、手洗い・うがいだって「防疫体制の構築」には大いに役立つのです。「一人ひとりが社会や国家を作っている」ことを忘れてはなりません。

なぜそうした発想を持ち得ないのか。そもそも国家意識が欠如していることに加え、「自己責任」という言葉への反発があるのでしょう。

確かに、緊急事態が宣言され、ライブや演劇が休演となればその分の損害は自ら負わなければなりません。文化の維持のための補償を国に求めることが悪いなどとは言いません。しかし大事なのはバランスであり、最終的には「自己責任」です。

しかし、本来こうした呼びかけをすべきメディアは、一向に役割を果たしませんでした。連日政府批判を繰り返し、ある時は外出自粛要請に従わない人を映像で糾弾し、またある時は自粛で経済がダメになると言って批判する。お得意のダブルスタンダードです。政府批判が目的としか思えないような事実からかけ離れた報道を平気で流し、デマすれすれの情報で危機感だけを煽った番組までありました。

その帰結が、「トイレットペーパー買い占め騒動」です。緊急事態宣言前の三月ごろから、「マスクと同じ素材でできているトイレットペーパーも、品薄が予想される」と聞いた一部の人々が買い占めに走り、実際に店頭からトイレットペーパーが消えてしまった。しかし実際には、トイレットペーパーは十分に供給されており、買い占めさえ起きなければ店頭から商品が消えることはなかったのです。本来ならメディアはこうしたデマを鎮静化しなければならないはずが、トイレットペーパーが売り切れてガラガラになった棚ばかりを映像で流したために、余計に買い占め行為を煽ることになったのです。日ごろのメディアの問題点が噴出した一例です。ネガティブな情報ばかり取り上げて危機を煽り、そしてその責任は取らないというわけです。

■コロナ封じ込めに成功した台湾と日本の違いとは

一方、台湾は今回の新型肺炎対応では日本の先を行き、世界的にも「封じ込め成功例」として実績を残しました。

蔡英文総統は早期に中国からの渡航制限を徹底。感染者数も五月時点で一千人未満、死者数も一桁にとどまっています。これにより政権支持率が急上昇しているとのことですが、これは二〇〇三年のSARS（重症急性呼吸器症候群）の対応の経験に加え、蔡英文の采配、そして「政府も国民も一緒にこの危機を乗り越えよう」という意識が高く、国民やメディアも、基本的には協力姿勢であったことも一因ではないでしょうか。

大手シンクタンク・台湾民意基金会が二〇二〇年二月二十四日に発表した世論調査では、〈蔡政権が新型コロナの「感染拡大を有効にコントロールできると信じるか」〉という問いに対し、「できると信じる」と答えた人が八五・六％に上ったといいます（『日経新聞』オンライン版、二月二十五日付）。実際、国民の考え通り、台湾は感染拡大を防ぐことに成功したのです。

台湾でも日本と同じく「トイレットペーパー買い占め」や「マスクの転売騒動」などが起きましたが、これに対し、台湾は二つの方法で鎮静化させました。

一つは「ユーモア」。台湾でも「トイレットペーパーが買えなくなる！」というデマが広がり、買い占めが起きて一時品薄の状況になりました。すると、行政院長の蘇貞昌が、自身のフェイスブックで「咱只有一粒卡臣」（私たちのお尻は一つだけ）と台湾語で買い占めを自粛するよう呼びかけ、これが大ウケ。表現のユーモアと相まって広がり、トイレットペーパーの買い占めは沈静化したのです。

また、マスクに関しては「テクノロジー」が解決しました。三十八歳で〝天才〟〝世界の頭脳〟と称されるデジタル担当大臣の唐鳳（オードリー・タン）の指示で保険当局と協力し、マスクの市場在庫を地図上に表示するシステムを構築。さらにマスク購入時には保険証のＩＤ提示で購入枚数を管理し、ＩＤによって購入日も制限、買い占めや転売を抑止するルールを設けたのです。

台湾はユーモアとテクノロジーという、いわばアナログとデジタルの両面から、事態の鎮静化を図って成功に導きました。さらに、行政院長の蘇貞昌は七十二歳、デジタル担当大臣の唐鳳は三十八歳。全世代で、それぞれのやり方で、それぞれの持ち味を生かしながら、事態の収拾に努めたのです。適材適所で有能な人材が活躍し、国民も一丸となって疫病と戦っていこうとする台湾の前向きでポジティブな姿勢が結果的に事態の収拾をも早めました。

特にデジタル担当大臣の唐鳳は政治経験のない人物を蔡英文政権が大抜擢した人事で

したが、まさに適材適所。有能な人を年齢性別にかかわらず高く評価し、社会としてリスペクトする台湾の姿勢を象徴する人物でもあります。年功序列が重んじられ、「有能な人」や「エリート」の活躍を素直に評価できず、何かにつけて足を引っ張ろうとすることが多い日本とは対照的と言っていいでしょう。

■危機にこそ持つべき発想

新型コロナウイルス感染症によって、私も知人を亡くしました。女優の岡江久美子さん、そして外交評論家の岡本行夫さんです。日本社会全体でいえば志村けんさんが亡くなってから一気に日本人の意識が「コロナに注意せよ」というモードに変わったように、私も実際に知っている方が亡くなって、コロナに対する意識はより高まりました。

もちろん、考え方の根本は変わりません。辛い思いをしている人、会社、店舗などがあることは百も承知です。しかし、誰かに文句を言って「あれをしてくれない」「これが足りない」とばかり言っていても何も始まりません。まずは自分がどうするのか、どういう行動をとれば社会のためになるのかを考える。国に何かをしてもらうことばかり考えるのではなく、自分が国に何ができるのかを考える、危機にこそ、こうした発想をすべきなのです。実際、そうした発想が持てる人から、光を見出しているように思います。

コロナ禍のさなか、櫻井よしこさんがBSフジの番組で、「みんなで力を合わせ、この危機を乗り越えようと論説で書いた新聞はありますか」と新型コロナ報道のありかたに疑問を投げかけたそうですが、全く同感です。

国家に甘えることばかり考えるのではなく、どうすればこの危機を乗り越えられるのか、自立した個人として自分ができること、社会全体が協力してやるべきことを能動的に考え、実行することの必要性。新型コロナ〝騒動〟は、こうしたことも日本社会、いや、日本人一人ひとりに突きつけているのではないでしょうか。

二〇二〇年六月

金美齢

第４章　日台黄金時代の到来

第1章

日本人に「なる」ために

早稲田大学第一文学部留学当時、台湾稲門会の新入生歓迎パーティー

■ラグビー日本代表が体現した「ワンチーム」精神

「ワンチーム」、二〇一九年ラグビー日本代表チームがスローガンにしていたこの言葉には、これからの日本社会にとって重要な視点が含まれているのではないでしょうか。

この言葉は、海外出身の選手やコーチを含む日本代表チームを一つにまとめるために掲げられた言葉ですが、その精神を実現し、結果を出すまでの道のりはそう簡単なものではなかった、といいます。

代表選手の一人、稲垣啓太選手も、のちに「そんな簡単なもんじゃないですよね」とコメントしている通り、様々な工夫や試行錯誤があって結実したものだったようです。

確かに日本代表チームはラグビーに限らず、普段所属しているチームとは違って代表戦に合わせて召集されるもの。日本人選手同士であっても、常日頃練習をともにしているチームとは勝手が違う。ましてや異なる生活習慣や文化、常識を背景に持つ外国人メンバーとの連携が難しかったであろうことは容易に想像できます。その齟齬を埋めるための言葉が「ワンチーム」だったのです。

海外出身で、日本人との血のつながりのない、見た目も使う言葉も日本人ではない選手が、「日本代表」として日本のため、日本人選手と一つのチームとして戦った。そして日本人の多くがこのチームの活躍に声援を送った――。そのありかたは、これからの日本にとって非常に大きな財産になるのではないかと思います。

ラグビーでは日本国籍の取得が代表選手となる必須条件ではありませんが、それでもあえて日本国籍を取得した選手が外国出身選手十五名のうち、八名もいたといいます。選手自身が「日本代表として戦う」ことを選んだのです。

また、ラグビーに限らずサッカーやその他のスポーツでも、日本国籍を取得して日本人となってチームや代表選手として参加するケースは増えています。また、スポーツ以外の分野でも、活躍の場を求めて国籍を移す人たちは少なくない世の中です。

国籍を選択する時代がやってきた――。彼らの存在は、これからは個人のアイデンティティは血統や生まれた場所、ルーツに限らず、国籍を自分で選べる時代になったことの象徴といえるでしょう。

民族同一性の高い日本人は、これまで国籍と民族はほとんど一致するものととらえてきました。しかしラグビー日本代表選手のように、外国出身であっても日本代表となり、あるいは日本国籍を取得した日本人として、日本で生きることや、アイデンティティを自ら選択する人たちも出てくるようになりました。

私も二〇〇九年に日本国籍を取得し、台湾人から日本人になりました。その経緯については本書でものちに触れるつもりですが、自分の生活や軸足、アイデンティティをどこに置くか、あるいは自分の国籍を決めることは、スポーツ選手に限らずそれほど珍しいことではなくなってきています。

これは日本にとっては非常に大きな変化であると同時に、「日本とは何か」「国籍とは何か」を考えるにあたって、日本人にとって非常に良い影響を及ぼすと思います。

■国旗・国歌を否定してきた左派メディア

例えば国旗・国歌の問題です。ラグビー日本代表の選手たちは、試合前の国歌斉唱の場面で、堂々と日本国歌を歌う姿が報じられました。その姿が日本人に訴えかけるものは大きかったでしょう。この姿に感動した人は多く、クサすようなことを書くメディアはほとんどありませんでした。

一九九八年のサッカーワールドカップの際には、日本代表だった中田英寿選手に対して朝日新聞が「中田英寿はなぜ『君が代』を歌わないのだろうか」で始まる記事を掲載。その中で中田選手の「国歌、ダサイですね。気分が落ちていくでしょ。戦う前に歌う歌じゃない」という発言を引用し、「中田は日本という狭い世界にとどまる選手ではない」といったトーンで締めくくる意図的な論調でした。こうした記事が出ていた頃に比べれば、現在はまだしも国旗・国歌に対する姿勢は正常化しつつあるといえるでしょう。

しかし日本では、公立学校の教師が入学式や卒業式といった式典の場面で、国旗に敬意を払わない、国歌である「君が代」を歌わないといった姿勢を取るケースが今なおあります。ひどい場合には児童や生徒に国歌を教えなかったため、ある地域で育った人や、世代によっては、「学校で国歌を習わなかったし、歌ったこともない」「大人になって初めて『君が代』を歌った」という人たちもいるほどです。

入学式や卒業式などの行事で国旗を掲揚しない学校さえありましたが、メディアをはじめとする日本社会は、そうした学校や教師こそ「国家による強制に抗う自由の闘志」であるがごとく持ち上げてきたのです。

そうした風潮の行きつくところが、二〇〇〇年に起きた東京都国立市の小学校の事例です。小学五、六年生の児童らが、卒業式当日、屋上に日の丸を掲揚した校長をつるし上げ、「基本的人権や憲法に反する」「多数決で決めるのが民主主義」などと言って日の丸を下げさせたうえ、校長に土下座による謝罪を要求したという驚くべき〝事件〟でした。

一方で、当時この出来事を危機感を持って問題視したのは産経新聞くらいのものでした。

国旗・国歌の否定、あるいは国旗国歌を「知らない」子供たちを量産してしまった責任は、家庭教育、学校教育、社会教育にあります。自分の国の歌を歌うこともできず、シンボルを敬うことのできない国民を作ってしまった人たちの罪は重いと言わざるを得ないでしょう。

■「国歌を知ることも『日本代表の務め』」と言ったリーチ・マイケル

二〇一九年、日本が開催地となったラグビーワールドカップで日本代表チームの主将を務めた、ニュージーランド出身のリーチ・マイケル選手は、「国歌の意味まで知ることが『日本代表』だと思います」と述べて、「君が代」の歌詞について学び、その中に登場する「さざれ石」が祀られる宮崎県日向市の大御神社を訪ねたといいます。「君が代の中身を自分たちにつなげ、理解して歌わなければ。より良い試合をするためにも、チームに日本を愛する感情を作らないとならない」というリーチ・マイケル選手の言葉は実に印象的です。

ラグビー日本代表元キャプテンの廣瀬俊朗さんもこのように述べています。

〈海外出身選手たちとの場という点で、ぼくらが取り組んだのが国歌です。ぼくにとってもチームメイトと肩を組んで「君が代」を歌う瞬間は特別な時間でした。日本ラグビーを背負って、仲間と一緒に戦う実感がわくんです。

しかしぼくが日本代表のキャプテンになった二〇一二年当時、海外出身選手の中には、「君が代」を知らない選手もいました。国を代表するのに、その国の国歌を知らないのはおかしいでしょう。チームの一員として認められていないのではないかと不安を抱いても不思議ではない状況でした。そこで、リーチ（マイケル）たちチームリーダーたちと相談し、日本の繁栄を祈る歌だと「君が代」の意味を教えながら、みんなで練習する場をつくったんです〉

〈いま、ぼくは『スクラムユニゾン』と名付けたプロジェクトにも取り組んでいます。W杯出場国の国歌を覚え、みんなで肩を組んで歌う活動です。各国の選手に喜んでもらうだけでなく、来日したサポーターと肩を組んで、その国の国歌を歌えば、国際交流のチャンスになりますし、国歌を通してその国の歴史や文化を知る機会になりますからね〉（プレジデントオンライン「ラグビー日本代表全員が『君が代』を歌えるワケ」より）

このエピソードは非常に重要です。君が代を含む各国の国歌を覚えることが、国際交流につながるというのです。

日本では〝ナショナリズムが高まると排外主義的になる〟とほとんど一方的に考えられていますが、実際は逆であることをこのインタビューは示しています。自国を尊重できない人は、他国を尊重することもできません。自分の国のシンボルに対して批判的であることが善だと思っている人は、ある国の人にとってどれだけ国旗や国歌、国の歴史が大事なのかが分からないからです。

■「嫌がる人がいるから日の丸を振るな」という朝日新聞の社説

日本の風潮そのままによその国へ行って「国歌を大声で歌うなんて、国粋主義者だ」とか「国旗を大事にするなんて、ウルトラナショナリスト、右翼っぽい」などと言えば、人格と常識を疑われるのがオチでしょう。

私は七十歳を過ぎてから日本人になりましたが、日の丸は世界一美しい旗だと思っています。あんなにシンプルで子供にも描けるデザインなのに、美しく、青空に映える。国歌の「君が代」はちょっと大人しい曲調だなとは思いますし、他国の国歌のような勇ましさがもう少しあってもいいのではないかと思わなくもありませんが、国歌である以上リスペクトするのが当然です。

ところが日本では、いまだにこのことが理解できない人たちがいます。二〇二〇年に入っても、朝日新聞は〈東京五輪の年に　旗を振る、って何だろう〉と題する社説（一月十一日付）でこう述べています。少し長くなりますが引用します。

〈あなたはこれまで旗を振ったことがあるだろうか。

運動会の応援やスポーツ観戦、あるいはイベントやデモに参加したとき……。

いったい旗とは何か。米国では、星条旗をこう表現するそうだ。「あなたの信じるす

べてのものになりうるだろう」〉

〈起源がどうあれ、旗は集団のシンボルとされてきた。

近年では、宗主国の権威の象徴として植民地支配に利用され、それに対抗する動きにも使われた。モザンビークの国旗には自動小銃カラシニコフが描かれている。独立闘争をたたえ、「あらゆる手段で国を守る」との決意の表れだという。

集団の歴史が込められた旗は団結のパワーとなり、その掲揚が巨大な興奮を与えてきた。

＊

一方で、見る人が代われば、それは激しい憎悪の対象にもなりうる。例えば２００１年の米同時多発テロの直後、自由の象徴として米国各地にあふれた星条旗。その同じ旗が、米軍の攻撃で多くの市民が死傷したアフガニスタンなどでは暴力と理不尽さのシンボルとされた。

特定の集団への憎しみが高まれば、旗は集団の代わりに辱められ、燃やされる。

米国では１９８０年代、星条旗を焼いた男性が逮捕されたが、最高裁で無罪になった。

判決は、この男性の行動も、憲法が定める「言論の自由」にあたるとした。「私は自由を大切に思う。旗を燃やす自由でさえ、その権利を誇りに思う」。今は亡き米歌手のジョニー・キャッシュは、ヒット曲「みすぼらしい星条旗」を歌う際、そう観客に語りかけたそうだ。

「日の丸」に対しても、複雑な感情を抱く人々がいる。

戦後75年が過ぎても、そうした人々から見れば、日の丸を掲げる行為そのものが、侵略戦争の暗い記憶を呼び起こすものにほかならない。

東京五輪で旭日旗を振るのを禁止すべきだ――。最近、韓国の人々からは、そんな声も伝えられる。旭日旗は旧日本陸海軍の旗であり、今も海上自衛隊の自衛艦旗である。日本政府は「(旭日旗が)政治的主張だとか軍国主義の象徴だという指摘は全く当たらない」と反発している。

そう簡単に言い切れるものだろうか。

昨年のラグビーW杯の観客席でも一部で旭日旗が振られた。わざわざ国際競技の場に持ち込む人の目的は何だろう。快く思わない人たちがいることがわかっている旗を意図

的に振る行為に、「政治的主張」はないといえるのだろうか〉

国旗に準ずる旭日旗に関して、朝日新聞は「嫌がる人がいるものをわざわざ振るな」というわけです。日の丸と旭日旗を並べて微妙に論点をすり替えていますが、この論法でいえば韓国や中国が〈日の丸を掲げる行為そのものが、侵略戦争の暗い記憶を呼び起こす〉と言っている以上、日の丸までも引っ込めなければならないことになります。

また、朝日新聞は一つの旗のもとに国民が高揚感をもって盛り上がるのが許せないし、それに反感を覚える韓国の側に立つということなのでしょう。しかしこれは大きな間違いです。国旗に関しては、仮に誰かに反感を持たれたとしても「日本の国旗に敬意を表して、何が悪い」と毅然とした態度を取るべきです。

私はずいぶん前に在日韓国人の若者たちの会合に招かれたことがありますが、もちろん壇上には韓国国旗（太極旗）が掲げられ、若者が壇上に上がるときは誰もが国旗への敬礼を欠かしませんでした。若者たちのその振る舞いには、こちらも身が引き締まる思いがしたものです。戦後の日本ではほとんど見られなくなった光景ですが、こうした振る舞いを教えることの方が国際的には常識、教えない日本こそ非常識、なのです。

だからこそ本来は、韓国の人々は日本の国旗も尊重しなければならないはずで、非常識を押し付ける相手の尻馬に乗って「韓国の人たちが嫌がるから」という理由で国旗をないがしろにするなど、もってのほかです。

■個人としてのアイデンティティが確立している大坂なおみ選手

二〇二一年に延期されることが決まりましたが、日本は東京にオリンピック・パラリンピックを迎えます。様々な国の人たちが、選手として、あるいは観客として、その国を背負って日本へやってくる。五輪は「国別対抗戦」ですから、選手たちの応援では当然観客も国旗を振るし、表彰台でも国旗と国歌はその選手と所属する国を称えるものとして扱われます。他国の選手たちが、自国の国旗をどれだけ大事に扱っているか。自国の国歌が表彰式で流れるのを、どれだけ誇らしく感じているか、日本人が身をもって知る機会になるでしょう。

五輪開催時には多くの外国人選手や外国人観光客が日本を訪れるだけでなく、こうした「国家（国籍）と個人の関係」を感じさせられる場面が多くあるはずです。

陸上のケンブリッジ飛鳥選手やＮＢＡというアメリカのプロバスケットボールリーグに所属する八村塁選手などは、両親のうちの片方が日本人でその血を引く、いわゆる「ハーフ」で、日本で育ち、日本語を話す日本人です。

また、母親は日本人ながら日本で暮らしたことのないテニスの大坂なおみ選手は、今のところ日本語は苦手のようです。

「日本国籍を取得している人」を「日本人」とするのであれば、一般的に「日本人」と聞いてイメージする像とは異なる個人が「日本人」であるというケースは、今後ますます増えるでしょうし、マジョリティである日本人がそうしたケースを身近に知る機会も、今後増えていくのでしょう。

二〇一八年に全米オープンを制した大坂なおみ選手に対し、朝日新聞と提携しているニュースサイトのハフィントンポストの記者が「日本の古い日本人像があり、日本人の間に生まれたのが日本人だという古い価値観がある。大坂選手の活躍で、そうした価値観が変わろうという動きがあるんですけれども（どう思いますか？）」と聞き、大坂選手から「それは質問ですか？」と聞き返される一幕がありました。

つまり記者は、「日本は価値観が古いままで、大坂選手が日本人なのかどうか議論がある。まだ差別意識が残っているが、大坂選手はどう思うか」と聞きたかったのでしょう。そして大坂選手が「私自身も差別に苦しんできた」とか「アイデンティティの問題で悩んでいる」とでも言ってくれれば、日本批判の記事にできると考えていたのではないでしょうか。

しかしアテは外れました。大坂選手は「私は私です」と答えたのです。この返答に、彼女の確固たる個の確立を見る思いがしました。

日本社会の反応を見ても、「日本にルーツがある大坂選手の活躍が素直にうれしい」という素朴なものがほとんどでした。

朝日新聞は二〇一九年一月三十日の社説で、全米オープンを制した大坂選手の活躍について次のように書いています。

〈中米ハイチ出身の父と日本人の母の間に生まれ、幼いころから米国で教育を受けた彼女は、グローバル時代を象徴する存在だ。試合中継のテレビ画面のスコアのわきについている日の丸や、「アジア勢として初」といったくくりを超えて、その魅力は世界に広

がった〉
しかし、日本にルーツのある大坂選手の活躍を日本人が喜ぶのは当たり前のことで、わざわざ「日の丸」をここで槍玉にあげる必要もないでしょう。
一部のメディアだけがねじれた目線で彼女を見ていたことを露呈させたのです。

■在日外国人との垣根はどんどん低くなっている

日本では現在、見た目やルーツと国籍がこれまでのように一致するわけではないケースが増えつつあると同時に、生まれながらの日本人側もそうした変化を受け入れ対処しつつある過渡期にあります。過渡期においては、まだまだ偏見を持つ人もいれば、受け入れようとする人もいて、その度合いも調整段階にあり、受け入れられる側の外国出身者やハーフの人たちも、うまく擦り合わせながらなじんでいきたいと思っているのが本当のところではないでしょうか。

私の孫たちは、日本国籍を持つ両親から生まれていますが、親の片方は私と夫（周英明）の間に生まれた、血筋的には台湾人です。つまり、孫たちは日台のハーフなのですが、孫たちがそれを意識しているようには思えません。

私の孫娘の一人は、日本人と西洋人のハーフの同級生について「あの子、ハーフなのよ、憧れるなあ」と言っていました。でも孫娘自身も、日台ハーフなのです。そのことに後から気づいて「あら、私もハーフだったわ」なんて言っていました。日台では顔だちが近いので見た目では分かりづらいということもあるのでしょうが、ある意味では取り立てて意識することもないくらい、ルーツが日本一国ではない人が日本国内に増えてきたことの証左でもあるのでしょう。

二〇一九年には、新宿区で新成人となる若者の二人に一人が外国人だと報じられました。日本人であっても海外にもルーツを持つ人を加えれば、その割合はさらに高くなるでしょう。

私が日本に来た六十年以上前の状況では、確かに外国人という理由で苦労したこともありました。就職にしても、家を借りるにしても日本人と同じようにはいきませんでしたが、それも当然だと思っていました。あの当時は日本もそれほど裕福ではなかったし、外国人との接し方が分からない人も今よりずっと多かったからです。

外国人を雇ったことのない経営者も多かったため、能力はあっても外国人であることを理由に就職を断られた人もいましたし、そもそも企業の新卒採用の応募要件から「外国人」は外れていたのです。

国力に余裕がないうちは、自国民が優先されてしかるべき。その後、日本が経済的に成長するにしたがって、外国人に対する垣根はどんどん低くなっていっています。不当な差別など、明らかな問題があれば指摘すべきなのは当然ですが、悪い面ばかり見て、あれも差別、これも差別だとばかり言うのはアンフェアで、良い方向に変化したことがあればそれも合わせて指摘すべきでしょう。

同一性が高かった日本で外国人の扱いが時にうまくいかないのはむしろ当然で、ただ「差別が増える」「遅れている」と日本を非難してみせるのではなく、そうした「過渡期」に当たって日本人と外国出身者がどう共生していくかを前向きに学んで対処していくべきなのです。

その意味でも、ラグビー日本代表チームはこれからの日本の未来を象徴する存在なのではないかと思うのです。口を開けば四の五のと国に対して文句ばかり言っている生粋の日本人たちよりも、「自分で選んだ以上は、日本人たろうと努力するのは当然だ。そうでなければ日本人に対して失礼だ」とする彼らのアイデンティティの方がよほど確立しています。

■「日本のために戦う」選手が気に入らない人たち

見た目や言語がどうであれ、ルーツがどうであれ、「日本のために」という姿勢で戦うスポーツ選手たちを、大多数の日本人は心から応援します。その光景は、まさに「多様性の実現」と言えるものでしょう。ところがどうやらそれが気に入らないという人がいるようです。

冒頭でも触れた二〇一九年のラグビーワールドカップでは日本代表チームがベスト8に入る快挙を成し遂げました。喜ぶ日本人に対して、ネットの一部ではこんな悪罵がぶつけられたといいます。

「(生粋の)日本人だけの力で勝ったわけでもないのに、喜びすぎだ」

「普段は『日本、日本』と国粋主義的、排外主義的なことを言っているくせに、外国出身選手だらけのチームの勝利を喜ぶのはダブルスタンダードだ」

こういう「つまらない」ことを言うのも、「言論の自由のある国・日本」ではもちろん人それぞれの自由ではありますが、こういう人こそ、〝人種やルーツの垣根を越えて、スポーツによって得る一体感〟の存在を否定しているのです。「日本代表になるために、国歌の意味まで理解する必要がある」と言うリーチ・マイケル選手の爪の垢を煎じて飲ませたいくらいです。

こうしたつまらないことを言う人たちは、おそらく日本が「日本」という単位で一つになり、盛り上がっていることが気に入らないのでしょう。仮にスポーツの場面で始まったことであっても、それがやがて「危険なナショナリズム」や「ファシズム」に発展しかねない、というわけです。

■香山リカ『ぷちナショナリズム』の害悪は今も残っている

このように日本では健全なスポーツにおけるナショナリズムさえ批判する向きは後を絶ちません。ある意味でその先駆けとなったのが、精神科医・香山リカ氏の『ぷちナショナリズム症候群—若者たちのニッポン主義』（中公新書ラクレ）です。彼女の論調は、サッカー日本代表を応援する若者たちが、日の丸を振り、日の丸のフェイスペインティングをして「ニッポン、ニッポン」と叫ぶ姿にナショナリズムの発露と、ひいてはファシズムの兆候を見出すものでした。

しかしこれは、先に指摘した「国旗・国歌」の否定にも象徴されるような、あまりにもひねくれた偏見、難癖です。日本の若者たちが「ニッポン」と連呼し、日の丸を振ったのはなぜかといえば、「国家とは何か」について教えられることもなく、ひたすら自国の過去を否定する歴史を刷り込まれた若者たちが、スポーツを通じて国家という共同体への帰属意識を取り戻す、その過程だったからです。

何も隣の国と戦争しろとか、日本代表チームを応援しない人間を非国民だと言ってつるし上げるようなものではない。純粋に「日本、頑張れ」という気持ちから、自分たちの代表として日の丸を背負って戦う選手を応援しているにすぎない。こうした光景すら「危険」に見えるのは、そう見える側に理由があるのですが、香山さんや彼女をもてはやす人たちは、そんな客観的判断すら持ちえないのでしょう。

自分が所属する共同体に親しみを持つこと、帰属意識を持つことは人として極めて自然な感情の発露であって、ファシズムのように上から押し付けたからといって生じるものではないのです。

また、スポーツであれ何であれ、自国の代表というのは、その国の総合力を表すものです。もちろん選手個人の功績であることは当然ですが、同時に選手の育つ土壌が豊かであればあるほど、優秀な代表チームができる。だからこそ海外からも、日本の代表になりたいといって選手が集まってくるようになるのです。

もちろん生まれながらの素質を持った天才的な選手が国力の低い自国から飛び出して国際的に活躍することもありますが、チームに対する国内企業からの支援やサポートも含め、まさに社会の総合力が試されるのが代表チームや選手であり、だからこそ選手の側も、「この国のために」「応援してくれる国民のために」と力を得るのです。まさにそのことを、ラグビー日本代表チームは体現していたのではないでしょうか。

その活躍に同じ国で生活する人々が一喜一憂するのは自然なことでこそあれ、危険視する必要はありません。

■「祖国のため、日本のため、会社のために走る」

私が好きな映画に『炎のランナー』（一九八一年、ヒュー・ハドソン監督）という作品があります。

第五十四回アカデミー賞作品賞を受賞したこの作品は、一九二四年のパリオリンピックを目指す実在した選手が主人公です。ユダヤ人ながらイギリス国籍を持つ陸上選手が、ユダヤ人としての誇りと、イギリス代表選手としての誇りを証明するために金メダル獲得を誓い、努力を重ねるというストーリーです。

一人ひとりがそれぞれの価値観を持ちながら、目標へ向かって突き進む。そして家族や国の支援を受けながらトレーニングを重ね、記録更新やメダルの獲得が実現されれば、国を挙げて喜ぶ。観客席には、それぞれの選手の国の国旗が翻る――。それは今も昔も変わらない自然な光景で、日本だけが否定される筋合いはありません。

二〇〇〇年のシドニーオリンピック・男子マラソンで銀メダルを獲得したケニア代表のエリック・ワイナイナ選手は、大舞台に挑む心境を聞かれて「祖国のため、日本のため、会社のために金メダルを目指して走る」と答えていました。

ワイナイナ選手はケニアの高校を卒業後、日本人の監督に才能を見出されて来日し、コニカミノルタに所属しながら選手としての鍛錬を積んできました。輝かしい功績を残すことができたのは、自分を見出してくれた監督や、所属していた会社、そして日本のおかげ、だから自分は祖国だけではなく、日本と会社のためにも走るのだ、というワイナイナ選手の心境は実に真っ当な感覚です。そしてそうした選手を私たちの代表として応援し、その活躍を喜ぶのも人として当然の感覚ではないでしょうか。

■日本人が知らないケネディ大統領の名演説

日本では、戦前の行いがナショナリズムとファシズムによって引き起こされたという反省から、戦後は双方を否定するのが理性的・進歩的態度であるとされてきました。確かにファシズムは否定されてしかるべきですが、ナショナリズムには良い面もあります。

例えば納税や社会保障を考えてみても、「なぜたまたま同時期に同じ地域内に住んでいるというだけで、社会的弱者である他人を自分の払う税金で支えなければならないのか」と言えば、「同じ国に住む人間同士支え合うべきだ、見捨てるべきではない」という帰属意識ゆえです。つまり、ナショナリズムがなければ社会福祉も成り立たない面がある。

日本の国民皆保険制度も、いわば国民同士の助け合い精神の表れです。アメリカはナショナリズムは強くても、同様に個人としての独立、自衛精神も尊重されているために、皆保険制度が定着していません。そのため、貧乏人は病院に行くこともできないという究極の自己責任社会です。

日本人はこの皆保険のありがたみも知らない。もちろん、健康な人からすれば税金は受ける恩恵よりも支払う分が多くなる場合もあるでしょうが、「人々を支える側にいられる幸せ」を自覚したこともないのでしょう。義務を果たしてこそ権利を主張できるのだということを、日本人はあまりに知らなすぎるのです。

「同じ国に生まれただけでなぜ助け合わなければならないのか」「アメリカ人や中国人よりも優先して日本人を救うべきなのはなぜか」という問いに対する答えは、ナショナリズムと通底してもいるのです。

例えば、ベトナム戦争のときにはアメリカ政府が飛行機を飛ばし、現地の米国人を連れ帰りました。在外邦人の安全に国家は責任を負っているからです。

まえがきでも述べたように二〇二〇年初頭、中国から蔓延した新型肺炎でも、日本政府は在中日本人を帰還させるべく、政府専用機を飛ばしました。中国政府と話をつけて連れ帰るということは、国家にしかできません。しかも力のある国家にしかできない。

また国家と国民が対等でフェアな関係を築くためには、本来であれば「国が自分のために何をしてくれるのか」だけではなく、「自分は国のために何ができるのか」を考えなければなりません。しかし日本では、社会保障や国による保障を声高に叫ぶ人に限って、ナショナリズムや「国家への貢献」には否定的です。

二〇一六年には「保育園落ちた、日本死ね」というネット上の書き込みが国会に持ち込まれ、流行語大賞まで受賞しました。こんな愚かなことはありません。国の制度の不備に声を上げるのは構いませんが、日本が「死んだ」ら、いったい誰が子供の保育制度を確立するのでしょうか。

しかも、女性の野党議員はこの言葉に乗っかって政府批判を展開した。必要な法案や対策を引っ提げて国会で論戦をするというなら分かりますが、「こんな不満が出ている、どうしてくれるんだ」とか、政府にＮＯとだけ言っていれば、それで仕事をした気になっている野党議員があまりに多すぎます。

私は「野党議員になりたい。ＮＯと言ってりゃ歳費が降ってくるんだから」と冗談を言ったことがありますが、国や政府に甘えているだけの野党議員や、それを許し、手放しで褒める国民には呆れるばかりです。「自分は社会のため、国のために何ができるのか、何をすべきなのか」を主体的に考えることができないのでしょう。

一九六一年、ジョン・Ｆ・ケネディは大統領就任演説でこう述べました。

〈世界の長い歴史の中で、自由が最大の危機にさらされているときに、その自由を守る役割を与えられた世代はごく少ない。私はその責任から尻込みしない。私はそれを歓迎する。われわれの誰一人として、他の国民や他の世代と立場を交換したいと願っていない、と私は信じる。（中略）

だからこそ、米国民の同胞の皆さん、あなたの国があなたのために何ができるかを問わないでほしい。あなたがあなたの国のために何ができるかを問うてほしい〉

歴史に残るこの名演説を、日本人は本当の意味で理解していないのではないでしょうか。日本人は、ナショナリズムや国家そのものを否定しながら、一方で国から何かを与えてもらうことばかり考えている。そして「国のために自分ができることは何か」「国民としての義務とは何か」については、考えたこともないのです。

■「ナショナリズム」とはご近所愛である

そもそもナショナリズム、愛国心というと何かたいそうなもののように聞こえますが、その本質は誰にも備わっている「身びいき」の延長線上にあるものです。誰でもよその子より自分の子供がかわいい。赤の他人の高齢者より自分の両親が心配だ。そうした個々の間での肉親愛が、自分たちの生活を支える地域や社会の親しみに拡大するのです。だからこそ、甲子園では出身地の代表を応援したり、地元がメディアに好意的に取り上げられればうれしいと感じたりするのです。

その「郷土愛」がさらに外側に広がれば、自分たちの生活している国そのものにも親しみや愛情を感じる――それは自然な感情なのです。もちろん、その時「国」とは、政府そのものを指すわけではありません。

また、生まれ育った国や村で嫌な思いをした人が、祖国や故郷への嫌悪や恨みを抱くケースが全くないわけではないでしょう。内戦や政情不安などで母国を抜け出してきた難民たちなどは、素直なナショナリズムを育むのは難しいかもしれない。

しかしそれでも、「政府」に対する反発感情はあっても、自分の暮らしてきた自然環境や習俗などについて、根っから否定にかかる人はそう多くはないはずです。仮に否定することがあったとしても、それは大方の場合「よかれ」と思ってすることであって、嫌悪や全否定とは全く異なります。

しかし日本の場合は違います。「愛があるからこそ祖国を批判するのだ」といった体裁すら繕わず「私には愛国心などさらさらありません」と胸を張って答えるような人の方がもてはやされてきました。ここまで来ると、もはや倒錯であり、異常としか言いようがありません。

かなり前の話ですが、「朝まで生テレビ！」（テレビ朝日）に出演したときのことです。共演者の一人には、当時社民党の党首を務めていた福島瑞穂議員もいました。議論のやり取りの中で、出演者の一人が福島議員に「あなたも、結構愛国者じゃないですか」と茶々を入れたところ、彼女は慌てて手を振って「違う、違う！　そんなことはない！」と猛然と否定したのです。国会議員が「愛国者ですね」と言われて否定しなければならないような国が、日本以外にあるのでしょうか。

反体制的なのは構いませんが、もし社民党が体制に反対するあまり、自国や同胞への愛情まで否定するのであれば、それは古諺のいう「産湯と一緒に赤子も流すべからず」の譬えと同じ愚行、と言わざるを得ないでしょう。しかし、そのような愚行を行うような人たちこそ、愛国者よりももてはやされてきたのが戦後の日本だったのです。

■「国家嫌い」の左翼は「自衛隊差別」を許容してきた

さらには、「国のため」に働く人までも蔑視する風潮さえありました。三十年以上前の話ではありますが、沖縄では「自衛官を成人式に呼ぶべきではない」とする意見が大手を振ってまかり通っていました。しかも普段は人権が大事だ、差別をするなと言っていた人たちがこうした意見を批判することなく、むしろ仕方がない、沖縄のことを思えば当然だというような振る舞いさえ見せていたのです。

私はこうしたことを許容している日本社会には、心底あきれ果ててきました。東日本大震災後、災害派遣活動に従事する自衛官たちのひたむきな姿勢が広く知られ、今や自衛隊は日本国民から最も信頼を得る組織になりました。しかしそれでもまだ、憲法では「軍隊ではない」とされたままで、あえて自衛隊を評価するような記事は、朝日新聞には掲載されない。「自衛隊の第一義は災害派遣にあらず、外敵から国家・国民を守ることである」ことすら、国民が十分理解しているとは言いがたい。そうした状況は改善されないままです。

愛国心を否定する、お国のためにという価値観を否定する環境で戦後教育を受けてきた人たちの中には、国家を否定してみせることが何か「新しくてかっこいい」ことでもあるかのように振る舞う〝戦後教育の申し子たち〟が今も存在します。

例えば、堀江貴文氏。彼は私が共演した二〇一〇年頃の「朝まで生テレビ！」で、「尖閣など中国にあげてしまえばいい。海底の資源やガスなどは、日本が中国から金で買えばいい」などと言っていましたが、これでは中国のいいカモになるだけです。堀江氏は自分のものを盗られたら、泥棒に金を払って「大事なものなので、どうかこれで買わせていただけないでしょうか」と頭を下げるのでしょうか。

また、同じ日の放送に同席した津田大介氏も「卒業式で国旗・国歌をボイコットする先生がいた自分の高校が好きだった」と述べていました。「国旗・国歌をボイコットする先生」を肯定してはばからない津田氏と、「国歌の意味を知らなければ『日本代表』にはなれない」と述べるリーチ・マイケル選手の、どちらが人として立派な態度か、比べるまでもないことです。

■歴史には光と影がある

歴史には光と影がある――日本だけでなく、どの国でも当然のことです。「影」の部分で日の丸が使われたからといって、全否定しなければならない理由はありません。

私がこのように考えるのは、元は台湾人という「外の目」から日本を見ていたからというだけではありません。文学であれオペラであれ映画であれ、そこに描かれているのは「物事には光と影がある」ということであり、私も基本的に「物事はコインの両面のように、裏と表、光と影、良い面と悪い面が背中合わせに存在しているものである」と理解しています。

一方の角度からしか見ない人は凝り固まった意見しか持てません。「戦前の日本」とつながるものはすべて悪である、と言わんばかりの態度を取る人たちは、自らものの見方、視野を狭めているのではないでしょうか。

また、彼らがいかにナショナリズムを否定しようとも、日本人は日本人であるだけで恩恵を受けていることも知るべきです。

日本に対してつべこべ言っている人間も、当然のような顔で日本のパスポートを取得し、海外へ出かけていきます。パスポートには次のように書いてあります。

〈日本国民である本旅券の所持人を通路故障なく旅行させ、かつ、同人に必要な保護扶助を与えられるよう、関係の諸官に要請する。〉

そして、「日本国外務大臣」とある。つまり外務大臣が代表するところの「日本国」が、「我が国の国民に何かあったら助けてやってください」と要請しているのです。

数ある地球上の各国のパスポートの中でも、日本のものはトップクラスの扱いです。

私が中華民国旅券を持っていた頃、そしてブラックリスト入りしてパスポートを失った後、海外に出るのにどれだけの苦労をしたか。そして日本国籍を取得してから、どれだけ楽になったか。パスポートの力は、イコールその国家の力でもあるのです。

日本人は、日本人であるというだけで、他国の人々よりも恩恵を受けていることに気づきもしません。他の国の人々が外国に行く際にハードルとなっているビザの取得を、日本は多くの国で免除されているのです。

それはなぜかといえば、日本という国家、そしてこれまで海外に出て行った日本人たちが、他国から信用されているからです。

私の息子がオーストラリアに赴任しているときに、こんな体験をしたそうです。日本に一時帰国してオーストラリアに戻る際、膨大な量の日本食材を買い込んで帰っていました。しかし税関での申告は、書類だけでほぼフリーパス。日本という国と国民が信頼されているからです。

一方、中国人はカバンも荷物も開封させられて、隅々までチェックされる。これは人種差別ではなく、信用度と前例の問題です。中国という国家に信用がなく、中国人が問題を起こすケースが多いと認識されているからこそ、チェックも厳しくなるわけです。

　また、私が反政府ブラックリストに掲載されてパスポートを没収されて三十一年後、ようやく「中華民国」のパスポートを再取得したのですが、「国家」としての信用が低い「中華民国」のパスポートでは、どの国に行くにもビザを取らなければならず、取る際にも屈辱を味わわされる場面が多々ありました。

　例えばイタリア・シチリア島への旅行のためにビザを取ろうと在日イタリア大使館に行ったときのことです。ビザの取得にはパスポートだけでなく、航空券、保険証明書、職業証明書、預金通帳、現金などが必要でした。しかも預金通帳は半年以上の記録があるものでなければならないと突き返されたのです。さらには職業欄に「作家」と書いていたところ、「作家であることを証明できるものを持ってこい」と言われてしまいました。

　日本人であれば、海外旅行に行くためだけに、これほどの手間がかかることもないし、屈辱を味わうこともありません。それは、日本という国が国際社会で認められ、信用されているからこそであり、その信用は多くの日本人が営々と築き上げてきたものなのです。その分、外国に行くときには、日本国のパスポートに守られていると同時に、自分が日の丸を背負っていることも肝に銘じておかなければなりません。

こうした国家の恩恵を受けながら、国家に対するリスペクトがない人はフェアではない。悪口三昧で自分の責任は果たそうとせず、権利だけは声高に主張するような人たちは、彼らが言うところの「大嫌いな国家」「否定すべき国家」に甘え切っているのでしょう。そして、国に甘えているという自覚さえない。

マッカーサーは戦後の日本の状況を見て「日本人の精神年齢は十二歳レベル」と言いましたが、少なくとも国家意識に関しては、今も小学生程度にとどまっているといっても、過言ではありません。

■日本人から国家意識を奪ったメディアと教育の罪

国際社会から「国家」としての扱いを受けていない台湾はもちろんですが、他のどの国であっても、国民や政治家はみな「国家は国家として成り立たせる国民の意思がなければ、たちまち弱体化し、崩壊してしまう」という思いを持ちながら、運営されているものです。しかし、特に戦後の日本では、「平和も、繁栄も、安全も、あって当たり前のもの」になっています。

この点で、日本と台湾は実に対照的な国だと言えるでしょう。四百年間にわたり、植民地支配されてきた台湾人は、一九九〇年代後半の李登輝さんの施政から始まる民主化とともに、今まさに「国生み」の苦しみに立ち会っています。少しでも気を許せば中国に飲み込まれるという状況下で、台湾人からは「我々は何者なのか」「中国人とは何が違うのか」「どうすれば台湾を守ることができるのか」「そのために自分ができることは何か」ということを考え続けています。

ずいぶん昔のことになりますが、友人から「勝ち目はあるのか」と聞かれたことがあります。つまり、台湾の独立運動をやっていって、中国や当時の国民党政権に勝てる目算があるのかというわけです。その時の私は、「勝ち目はない」と答えました。しかし、私の本心としては、勝つか負けるかではなく、自分が正しいと思うことをやり続ける、ただそれだけだったのです。「正しいと思うこと」とは何かと言えば、それは「台湾という国がなければ、私は幸せになれない」という思いです。つまり、私にとって国家について、台湾について考えることは、国のためであるのと同時に、自分のためでもあったのです。

一方、日本は長い歴史を持ち、一九四五年の敗戦という断絶はあったものの、以降は日米同盟の下、自分で自分の国を守ることすら考えずに七十年以上を過ごしてきてしまいました。ほとんどの人たちが「生まれた時から日本人」であり、その体制が揺らぐなどということは考えたこともないでしょう。「お国のために」と口にする人を危険視し、実際に国のために命を懸けて任務に当たっている自衛官を蔑視する。そして「愛国心なんてありません」という人を持ち上げるのですから。

■日本人にとって「国」は空気のようなもの

考えるに、日本人にとって国とは空気のようなものなのではないでしょうか。空気がなければ私たちは生きていけないのに、その存在には気づかない。あって当たり前だからです。酸素不足になったり、息ができないという危機的な状況になって初めて、空気の存在とありがたみが分かる。

それと同様に、日本人にとっては「国」は存在しているのが当たり前で、ありがたみを感じることができないのです。人が「空気が当たり前に供給され続けるためには、何が必要か」などとは普通考えないように、日本も国に対して「あって当たり前」のものでしかない。

ましてや、「国に何かをしてもらうことはあっても、自分が国に何ができるかなど、考えたこともない」「納税の対価としてサービスを受けるのは当然」「むしろ、『国のために』なんて、古臭いし、危険」などと考えているか、何も考えていない人が大半といった状況です。

スポーツの世界だけでなく、グローバル化する社会では多くの人々が「国家とは何か、民族とは何か、それと個人との関係はどういうものなのか」について深く考えながら日々の生活を送っています。なぜならそれが、自分自身のアイデンティティと直結しているからです。その中で、愛国心とは何か、ナショナリズムとは何かという問題も付随してくるのです。

しかし日本人の多くは、こうしたことにほぼ無関心です。その一因は、やはり戦後教育やメディアの論調にあるのでしょう。

新聞などに登場する政治学や思想学の教授たちは、ナショナリズムを危険視し、「国と国家は対立するものである」「国家からの自由を求めることこそ人権的振る舞いである」と発信し続けています。

もちろん、国家と個人が対立するケースはあります。私自身、国民党政権下の台湾との関係は、まさに対立であり抵抗でした。祖国に帰ることを禁じられ、両親に会うこともできなかった。国がそれを阻害していたのです。しかしだからこそ、私は台湾という国家が、本来あるべき姿になるよう求め、積極的にコミットしてきました。それは、台湾人あっての台湾という国家であり、台湾という国家あっての台湾人だと考えるからです。国家が先にあるのではない、国民あっての国家なのです。

日本に帰化し、日本代表としてスポーツの場面で戦う選手たちが君が代を歌い、国旗に敬意を払うのも、そうした意識があってこそ、国家として、チームとして一つにまとまることができると考えているからでしたが、それと同じことが国家にも言えるのです。

近年になってようやく、ほんの少しですが、日本社会も変わってきた面はあるかもしれません。サッカーやラグビーなどの国際大会の観客席のみならず、式典等で国旗を掲げることが、以前のような問題にはならなくなってきました。メディアが大きく取り上げなくなったのは、民意の支持を得られないと感じているからでしょうか。

先の朝日新聞の社説に関しても、少し前は「朝日新聞の言う通りだ」という人が大半だったのかもしれません。しかし今や、時代は朝日新聞をとうに追い越している。部数凋落がそのことを物語っているのではないでしょうか。

■この国のために、何ができるのかを考えよ

本書のメッセージは、生粋の日本人にはもちろん、私と同じように「日本に帰化した元外国人」にもぜひ受け止めて、考えてもらいたいものになっています。様々な理由、思いから日本に移り住み、日本に帰化して日本国籍を取ることを選択した以上は、「自分の責任とアイデンティティにおいて、日本を選んだのだ」という自覚を持ってほしいのです。国籍は「便利だから」というような軽い気持ちで変更していいものではない。

そして生まれながらの日本人も、ただ日本国籍を持っているだけでは本当の意味では「日本人」になれないと知るべきです。言語を知り、歴史を知り、自分がこの国の存続のために何ができるのかを考えて初めて、日本人に「なる」ことができるのではないで

しょうか。

歴史も国家観も否定する左翼の人たちは、口では日本を悪しざまに批判しますが、彼らはどこかで「日本はなくならない」という確信を持っているのでしょう。

彼らはかつての日本が歩んだ道のりを否定することにのみ一生懸命で、そうしてさえいれば「滅びの道」はたどらずに済むと短絡的に考えている。単に「戦前の逆」をやっていればそれだけで国家が永続すると考えているならば、それは大きな間違いです。むしろそうした考えこそ、亡国への一里塚です。

自分の一挙手一投足によって「国が失われることもあるのだ」という緊張感や危機感がまるでない。中国がどれだけ軍事強国化しても、その矛先が自分たちに向かってくる可能性など、これっぽっちも考えない。ほとんどゆでガエルのような状態です。

そうした国家意識のない人たちは、日本以外の国がどういう状況にあるのかも、実際のところよく知らないのでしょう。彼らは「こんな国はもう出ていきたい」などと簡単に口にしますが、国家を否定してさえいればメディアからお呼びがかかるような国は、世界中探したって、日本以外どこにもありません。

そんなことをしていられるのは、自分が国家のために働かずとも日本がなくなることはないと妄信しているからであり、「母国が自分を捨てないと信じ切っている甘え」に浸りきっているからでもあるのです。

しかも彼らはそう言いながら、実際日本を脱出することはない。私はよく言っています。「早く日本国籍を捨てて、別の国の国籍を取ってください。もしそうしたら私が大々的な送別会を開きますよ」と。簡単に「日本を捨てる」などと言いますが、彼らは行った先の新しい国にも帰属意識を持てず、根無し草になり、また行った先の国家を否定するつもりなのでしょうか。そうした人間は世界のどこに行っても信用されません。

■自分が生まれた国を愛せない不幸

私には覚悟があります。もしも日本と母国が対立することになれば、母国に弓を引いてでも日本の側に立つ――。私は日本国籍を取得した後は、自分の中での優先度を第一に日本、第二に台湾であるとはっきりと決めています。日台が対立すれば、私の身も心も引き裂かれることになる。だから今も、日台友好に努めるのです。国籍を変えること、それによって複数のルーツを持つということは、それほどに覚悟が要ることなのです。

自分が生まれ育った国を愛せないのは不幸です。家族を愛し、地域を愛し、母校を愛し、社会を愛する。その先に国への愛があり、その愛の中心には自分がいる。自分を愛することができなければ、国を愛することはできない。まず日本人はそのことを知る必要があるのです。

第2章

「蓮舫・二重国籍」事件が照らすもの

孫の幼稚園入学式にて

■台湾人が馬英九を選んだとき、私は台湾を捨てた

二〇〇九年九月、私は日本国籍を取得し、台湾人から日本人になりました。厳密に言えば、一九三四年に日本統治下の台湾に生まれた私は、十一歳まで日本人として過ごし、七十五歳で再び日本人になったわけです。

なぜ、台湾の独立運動に身を投じてきた私が、日本国籍を取得するに至ったのか。理由は、二〇〇八年の台湾総統選の結果にありました。

台湾は一九九〇年から国民党政権といえども「台湾人」である李登輝が総統を務め、二〇〇〇年からは民進党（民主進歩党）の陳水扁が総統の座につきました。ようやく台湾人の、台湾人による、台湾人のための政治が始まった――。そう感じました。

ところが二〇〇八年の選挙で、台湾人は誤った選択をしてしまいます。国民党の馬英九を総統に選んでしまったのです。

私は当時台湾人として、「馬英九を総統にしてはならない」と警告し続けていました。馬英九は国共内戦後に香港に移った両親のもとに生まれ、その後台湾に移り住んだ外省人。つまり中国人ですから、対中接近を目論むことは明らかだった。ようやく歩き始め

た台湾の民主化の道を後戻りすることになるのは明白だったからです。

にもかかわらず、台湾の人々は彼の本質を見抜くことができませんでした。国民党政権から手厚い保護を受けている退役軍人や教師など既得権者による支持層もありましたし、やはり中国という大きな市場に目がくらんで、「経済的に中国と協力した方が得だ」という声もありました。さらには〝フェロモン候補〟とまで言われた馬英九を「ハンサムでかっこいい、総統にふさわしい」と言って持ち上げた女性たちが、独立派や本省人の中にもいたほどです。

また、馬英九の「自分は台湾人である」といったパフォーマンスに騙された人もいました。「馬英九もああ言っているのだから、今さら中国に接近はしないだろう」などという甘い考えで動いてしまった人も多かったのです。しかしここで馬英九を選ぶことで、李登輝政権以降、確立してきた台湾の民主性、中国からの自立が大きく後退することは目に見えていました。

それなのに台湾人は、馬英九を選んでしまった。私は心から落胆しました。そのため、私は選挙翌日に空港で、メディアを前に「私、台湾人をやめます」と宣言したのです。

気持ちとしては、私が台湾を捨てたのと同時に、台湾が私を捨てた、私は祖国に捨てられたのだ、という思いだったのです。

私が日本に来てから、そして独立運動に身を投じてから約五十年の月日が経っていました。

■日本社会に貢献することが、台湾のためになるような生き方を

日本国籍を取得する前から、日本も第二の祖国ではありましたが、あくまでも第一優先は台湾でした。そして前章でも述べたように、日本国籍を取得してからは、日本が第一、台湾が第二と順序が入れ替わりました。もちろん、この「二つの祖国」を大事に思ってはいますが、必ず優先順位は明確にしなければならないと思っています。

なぜなら国籍を取った以上は、その国に溶け込み、社会に貢献し、その国を尊重すべきだと思うからです。「たとえ国籍は変わっても、心は元の国籍のまま、祖国を思っていてほしい」という考えもあるかもしれませんが、私はそうではありません。優先順位を明確にしたうえで、両国の交流のために尽くしてほしい。日本と台湾の間であれば、

「台湾から日本に帰化したら、日本社会に貢献して日本のためになることが、すなわち台湾のためにもなるような生き方をすべきだ」と思うのです。

幸い、日台は友好な関係にあり、この二つの国が争うことで私自身が身を引き裂かれるような状況は当分、来ないでしょう。また、二つの祖国にルーツを持つ人間として、日台の友好関係が末永く続くよう、私自身ができる限り貢献するのも当然のこと。日台両国が友好な状況であることこそが、二つの祖国を持つ私自身の幸せに直結しているからです。

■国会議員として許されない「蓮舫・二重国籍事件」

日本人が普段はほとんど意識することのない「国籍」について大いに考えさせられるきっかけになったのが国会議員である蓮舫さんの二重国籍問題です。

二〇一六年八月、民進党（当時）の代表選への出馬を宣言していた蓮舫さんに対し、元通産省（現・経済産業省）官僚の八幡和郎氏が、蓮舫さんが二重国籍である可能性を指摘するネット記事を公開しました。

これに対し蓮舫さんは当初、「私は生まれた時から日本人です。（台湾の）籍を抜いています」「十八歳で日本国籍を選びました」などと発言。その後になって台湾側に自身の中華民国国籍の有無を確認したところ、蓮舫さんは台湾の国籍（中華民国籍）を放棄していなかったことが分かり、二〇一六年九月十三日、その事実を確認したと発表しました。つまり、蓮舫さんはそれまでの指摘通り「日本と台湾の二重国籍」状態だったことになります。

蓮舫さんは台湾人の父と日本人の母の間に生まれ、当初は台湾籍だった。かつての日本は父系主義で、父親の国籍が子供の国籍になるという法律でしたから、蓮舫さんは「生まれた時は（父の国籍である）台湾籍」でした。

一九八四年に法律が改正され、蓮舫さんは母親の国籍である日本国籍を申告できるようになりました。そこで蓮舫さんは何歳かの時点で日本国籍を取得したのだと思いますが、それにもかかわらず台湾籍を放棄していなかった。そのために二重国籍状態になっていたのです。

現在、日本国籍を後から取った場合には、もともと持っていた国籍を放棄するのが日本のルールです。

　私が二〇〇九年に日本国籍を取得した際も、まず日本側の国籍取得の審査が通った後に「台湾籍（中華民国籍）を放棄したという証明書」の提出を求められました。そこで台湾の大使館・領事館に当たる台北駐日経済文化代表処に行き、国籍放棄の手続きをしたうえで証明書を取得、日本側に提出しています。

　蓮舫さんが日本国籍を取得した当時は国籍離脱証明書（喪失許可証）が必要なかったのでしょう。その点では手続き上の些細なミスと言えなくもありません、が、仮にも蓮舫さんは国会議員。しかも民主党政権時代には大臣を経験し、問題発覚当時には野党第一党の代表選に出て代表となり、政権交代が起これば首相になるという立場にありました。

　このような立場にある人が、自分の国籍の状況について人から指摘されて初めて問題に気づいたうえ、自らきちんと説明することもできない程度の認識しかなかった、ということに私は驚きと怒りを隠せませんでした。

　国会議員であれば当然、一般国民以上に国家に対する帰属意識やアイデンティティを明確にしておくべきですし、問われれば進んで明らかにしなければならない。これは国会議員としての義務と言っていいでしょう。ところが蓮舫さんは自分の置かれた状況を把握していなかったばかりか、人からの指摘をあたかも差別問題に置き換えるようなそぶりを見せた。さらには、不確かな状況について調べもしないまま、あやふやな答弁でその場をやり過ごそうとしたのです。これは二重国籍状態であったこと自体よりも深刻な問題です。

私は騒動が起きた当時、同じ台湾にルーツを持つ人間としてだけではなく、日本の納税者であり有権者である立場から、問題であると指摘しました。年間一億円もの税金が蓮舫さんのために使われているのです。私は納税者として、自分の国籍についてまともに説明もできない人間に税金を使われ、様々な特権を許すことはしたくないと考えます。

■私も「二重国籍」で因縁をつけられた

実は私自身も、台湾で二重国籍を疑われたことがありました。二〇〇〇年、陳水扁政権時代に総統府国策顧問となった際、台湾の野党の国民党から「金美齢は日本との二重国籍ではないか」といわれなき批判を受けたのです。台湾の国策顧問には外国籍保持者は就任できませんし、もちろん当時私は台湾籍のみでした。

日本で暮らす期間が長かったからそうした憶測を呼んだのでしょうが、台湾に帰れなかったのは国民党政府が「独立運動に参加する、事実上の政治犯」として、私をブラックリストに入れていたからで、言いがかりもいいところです。

しかし〝台湾独自の事情〟により、特に海外で暮らす台湾人の中には日本やアメリカなどとの二重国籍状態になっている人が、かつて「掃いて捨てるほどいた」のも事実です。私は自分自身が二重国籍状態になることは、先ほどの「優先度」の観点からも良しとしませんでしたが、そうでない人たちも多かったのです。

というのも、戦後しばらくの間、台湾（中華民国）は中華人民共和国と国家の正統性について争っており、両者ともに「われこそは〝中国大陸政権〟の正統なる継承者である」と主張。そのことを国際社会に示すために、「一人でも多くの人間に、自国の国籍を取得してほしい」「自国のパスポートを持って海外を回ってほしい」と考えていた時期があったのです。

そのため、台湾当局は海外に住んでいて現地の国籍を取得しながら、一方で台湾の籍も保持するという二重国籍状態を認めていました。

また、人々の側にも利点があり、例えば「僑生」という制度では、海外に住んでいて中国や台湾にルーツがある人は、現地の国民よりも簡単な条件で台湾大学などに入学できたのです。これも台湾の側からすれば、「籍を持ちながら海外で活躍する人材」を増やしたいがゆえのことだったのでしょう。しかしこれが混乱のもとでした。

さらには日本側も、中華民国籍に関しては一九七二年以降、「台湾を国家として認めていない」という建前があり、「中華民国籍を持つものが日本国籍を取得する場合、（日本では中華人民共和国の法律を適用するので、自動的に中国籍は離脱することになるため）中華民国籍の離脱証明は必要ない」などという説明をしていた時期もあったようです。

こうしたあいまいな状況が、〝二重国籍〟状態を許した面もあるのです。

そうした点から、蓮舫さんに酌量の余地がないわけではありませんが、私は蓮舫さんに関してもう一つ、疑問に思っていることがあります。それは、彼女の「台湾」に対する姿勢そのものです。

■どれだけ台湾をないがしろにすれば気が済むのか

蓮舫さんは台湾にルーツがありながら、台湾と中国の関係性に関する本人の見解どころか、台湾そのものについて発言したこともないし、日本と台湾の交流に資するような言動も皆無です。台湾にルーツを持ち、そのことを政治家としての一種の「ウリ」にしながら、国会議員になってからの彼女が日台交流に励んだという話は寡聞にして聞いたことがありません。

彼女の一家（謝家）は、台湾バナナの輸出で財を成しました。当時は輸入割当制（import quota）があり、台湾からの輸入量が決まっていた関係で、取引できる業者が限られており、蓮舫さんの一家はある意味で制度に保護されながら事業を営み、その利権によってかなり裕福な生活をしていました。

いわば、蓮舫さんの一家は台湾の気候や豊かな土地があってこそ、事業をなしえた。にもかかわらず、彼女の口から台湾に対する感謝の言葉一つ聞いたことがないことを、どう理解すればいいのでしょうか。

彼女は「外国人と日本人とのハーフ」であるというルーツや、父親に対する思い入れは折に触れて語っているようですが、「台湾」についてどのような認識を持っているのかについてはほとんど発言してきませんでした。

蓮舫さんは、一九九五年から一九九七年にかけて、中国の北京大学に留学しています。中国を留学先に選ぶのは個人の自由ですから、この選択についてはあえて批判するつもりはありません。

しかし、「二重国籍騒動」時、彼女は驚くべき発言をしています。

「一九七二年以降、私の国籍は形式上『中国』になっています。仮に中国の国内法では外国籍を取得した者は自動的に（元の国籍を）喪失しているので、二重国籍にはなりません。また、日本と台湾は国交がないので、台湾籍を有していたとしても法的に二重国籍だと認定されることもありません」

「『二つの中国』論で言ったときに、二重国籍と（いう言葉を）メディアの方が使われることにびっくりしている」

この発言こそ驚きです。完全に中国の言い分を踏襲した、まるで自らも「中国人」であるかのような言い分なのです。日本の議員としても失格ですが、台湾に対する思いや情などみじんも感じられないこの態度には呆れるばかりです。いったい、どこまで台湾をないがしろにするつもりなのでしょうか。

自らのミスを糊塗するための詭弁を弄し、さらには台湾と中国の正確な関係性すら認識していないのです。いや、知っていてなお、中国側の論理に乗っているのか、それは分かりません。しかし二重国籍は確認不足で済むかもしれませんが、この発言は聞き捨てなりません。何より、国会議員として失格と言わざるを得ないでしょう。

■「便利だから」というだけで国籍を選んではいけない理由

また、この騒動中に過去の蓮舫さんの発言が掘り起こされ、物議をかもしました。それは一九九五年に蓮舫さんが雑誌のインタビューに答えたものです。自身の国籍について「日本人に帰化したことに、本当に後悔はないか」と聞かれて、こう述べています。

〈今、日本人でいるのは、それが都合がいいからです。日本のパスポートは、あくまで外国に行きやすいからというだけのもの。私には、それ以上の意味はありません。いつのことになるかわかりませんが、いずれ台湾籍に戻そうと思っています〉（雑誌「ジョイフル」）

もちろんこれは、彼女が議員になる前の発言です。また、台湾（中華民国）のパスポートとくらべて国家としての信用度が高い日本のパスポートの方が格段に海外に行きやすいのも事実で、当時の日台のパスポートは五ツ星と一ツ星くらいの差がありました。

しかし国家と国民の関係は便利かそうでないかという部分だけで測れるものではない。私は約六十年前に台湾から日本へ来て、途中、ブラックリストに載って台湾に帰ることもできず、パスポートも失い、非常に不便な思いをしました。使い勝手で言うなら、早々と日本国籍を取得した方が良かったのかもしれない。しかし私は、それでも台湾人でいることを選び続けました。

単に不便というだけではありません。独立運動に身を投じたことでブラックリストに載った私たち夫婦は、長い間台湾に帰ることもできず、日本では「特別滞在」扱いとなっていました。その間に生まれた二人の子供は、成人するまで無国籍状態でした。

というのも、子供たちは日本で生まれたものの、両親二人は台湾人です。日本人の子供や、日台ハーフの子供のように、自動的に日本国籍を取ることはできません。そのため、当時住んでいた新宿区の区役所に出生届は提出したものの、日本国籍は取れなかったのです。

子供たちは無国籍、パスポートも身分証明書もない状態です。おそらく住民票には名前が載っており、公的なサポートを全く受けられなかったわけではありませんが、子供二人が自立して、納税証明書を提出できるようになり、自らの意思で日本国籍を取得する申請を出し、二年以上待ってから取得に至るまでは、宙ぶらりんの状況に置かれていたのです。

そうした状況であっても、また「中華民国籍」という不本意な名称であっても、私は国籍を変えることはしませんでした。私は台湾で生まれ、青春期を過ごした以上、台湾という国に借りも恩もある。台湾籍では不便だから、パスポートも取れないからというような理由で、苦難の台湾を捨てる気にはならなかった。台湾が苦難の歴史のうちにいる間は、どんなに不便でも他の国の国籍を取らず、台湾とともにあろうとしたのです。

逆に言えば、そこまで考えていた私が台湾を「捨てる」決断をしたのですから、馬英九の総統当選はそれほどの衝撃があったわけです。

二〇〇九年に日本国籍を取得したときには、台湾人から「裏切り者」扱いされたこともありました。確かに私も、夫の周英明が生きていれば日本国籍を取ることはなかったかもしれません。私たちは二人で台湾独立の同志として、ともに闘ってきましたから。「中華民国」ではない、「台湾」という国籍を取るまで頑張ろうと、まだ突っ張っていたかもしれません。それほど私たちにとって、国家との結びつきは重いものだったのです。

前章で、国籍は自由に選ぶ時代になったと書きましたが、だからと言って、それは国家に対する責任やアイデンティティを軽んじるものではありません。むしろ、選び取った以上はなおのこと、より大きな責任が生じるとも言えるでしょう。

蓮舫さんに「私と同じように考えるべきだ」と押し付ける気はありません。が、問題は、現在の蓮舫さんが国籍やパスポートについてどう考えているのか、という点です。

■国籍問題に取り組まない「裏切り」

蓮舫さんは国籍問題について会見した際、「手続きが煩雑だから自分でもよく分からなくなってしまった。これからは国籍問題にも取り組みたい」と公で述べたにもかかわらず、その後表立ってこの問題に取り組んだ形跡がありません。これは日本の有権者に対する裏切りと言ってもいいのではないでしょうか。いや、蓮舫さんと同じように日台にルーツを持つ人々に対しても大きな裏切りです。

国籍の問題、特に台湾のような微妙な立場に置かれている国との間で起きる問題の解決は急務のはずです。ましてや日台ハーフの人々や、日台の間で国籍を移動する人たちも増えている昨今です。少しでも早く台湾の扱いを定め、法的手続きをすっきりさせておかなければ、多くの人々が二重国籍や台湾の扱いによって不都合や不利益を被ることになります。

そのことを彼女は誰よりも身をもって理解したはず。しかし国会議員としてこの問題の解決に取り組もうという姿勢が、その後全く見られないのです。

台湾は中国との関係があり（次章で詳述）、日本では独立した国家とはみなされていません。以前には中華民国の国籍欄の表記が、中華民国を略したものという建前で「中国」と表記されていたくらいです。在留カードではようやく「台湾」という表記が認められましたが、こうした国家の「建前」が、台湾人に与えている不利益や、不快感が顧みられないのは大問題です。台湾人は中国人ではないのですから。

この点についても蓮舫さんは「制度が悪いから私が誤認したのも仕方がなかったのだ」というような、あたかも自身がその制度の被害者であるかのような物言いをしていましたが、立法府である国会の議員を務める蓮舫さんは制度を変えることができる立場なのです。

今後ますます、日本人と外国人のハーフや、日本国籍を取得したいと考える外国人は増加するでしょう。こうした問題について日本がどう考え、法整備を行っていくのか、日本社会は考えていかなければなりません。身をもってこの問題の難しさを知った彼女にも、解決を模索する義務があるのではないでしょうか。

■帰化した以上は「ジャパン・ファースト」であれ

これからは帰化して日本国籍を取得した人が、地方議会や国会で議員になるケースもますます増えるでしょう。そもそも日本人になった時点で、自分がもともとのルーツを持っている国よりも日本を優先すべきだと私は思いますが、国会議員であればなおさら

「ジャパン・ファースト」の姿勢を取ってもらいたい。国民も、帰化して議員になった人物が、どこに軸足を置いて、誰の顔を見て政治を行っているか、よくよく観察する必要があるでしょう。

「あなたは母国と日本と、どちらを優先しているのですか」と言いたくなる人はいます。生粋の日本人ですら、中国のご機嫌をうかがったり、韓国にはなし崩し的に甘かったり、アメリカと一体化しているような議員がいるので問題は尽きませんが……。

例えば、元は韓国籍で、二〇〇三年に日本国籍を取得し、国会議員になった白眞勲議員。私はテレビ番組の収録で一緒になった際、楽屋で彼にこう言ったことがあります。

「あなたはいつも日本は差別的だとか、排外的だとか言うけれど、韓国にルーツのあるあなたが、元の名前のまま国会議員に当選していること自体が、日本人の差別意識が低いことを示しているじゃない。どこが差別なの」

自分を棚に上げた空理空論で日本を批判する彼に呆れて言ったものですが、彼は黙ったままでした。韓国で日本名の帰化議員が誕生し得るかどうか、立場を入れ替えてみれば、日本がどれだけ寛容か分かるというものです。

恐らく彼のようなポジションでは、「日本人は差別的だ」「韓国人は日本で差別されている」とアナウンスすることで票が集まるのでしょう。

蓮舫さんの問題が取りざたされたときにも、「二重国籍を問題にするのは差別だ」「排外主義だ」と非難する声がありました。しかしこれは質《たち》の悪い言いがかりです。

事実を淡々と述べることを求められているだけの話で、現時点での法律で決められていることを守れない、しかも国会議員として最低限持っておくべき国家意識がない人間への問題の指摘が、なぜ差別になるのでしょうか。

議員の国籍問題について、こんなナイーブな物言いが流通するのは、おそらく日本だけです。

憲法で明確に二重国籍保有者が選挙により公職に就くことを禁止しているオーストラリアでは、二〇一七年から一八年にかけて、選挙当時に二重国籍を保有していた副首相以下の議員十五人が「不適格」として議員資格をはく奪されました。

また台湾も、二重国籍は認めているものの、公職の制限規定がある。二重国籍の場合は総統以下、立法委員（日本でいう国会議員）などには外国籍を喪失しなければならなることはできず、就任前に外国籍を喪失し、その証明を提出しなければなりません。実際に、台湾籍と米国籍を持っていた人物がその事実を隠したまま立法委員になったとして辞職に至ったケースもあります。

アメリカでは二重国籍は法的に認められていますが、それでもバラク・オバマ氏が大統領選に出馬した際には、出自に関する様々な疑惑に答えるためにハワイでの出生証明書を提出しています。

一般市民ならいざ知らず、国家のトップに立つからには、自らの出自や国に対する姿勢、国家に対してどれくらいのロイヤルティを示せるかを明らかにするのは当然のこと。

もっと言えば、二重国籍が認められている国家では、両方の国からのメリットを受けるだけではなく、両方の国に対する義務を果たさなければなりません。

■親による「帰化阻止」は子供のアイデンティティを破壊する

私の二人の子供は、両親が台湾人で日本人の血は一滴も入っていませんが、日本で生まれ育ち、日本語を話し、日本人としてのアイデンティティを持っていたため、成人して就職してから、自らの意思で日本国籍を取得しました。

それについて親である私たちが、台湾籍にしろとか日本籍にしろなどと口を出したことはありません。「あなたたちがどの国の国民として生きていきたいか、自分で考え、自分のアイデンティティに忠実に国籍を取りなさい」と話してきました。

しかし周囲のケースを見ていると、必ずしも子供の自由意思に任せる親ばかりではないようです。

私の子供たちが日本国籍の申請をした際、管轄の警察が自宅にやってきました。「子供たちの日本国籍取得に合わせて、ご両親も日本国籍を取ってはどうか」と勧めに来たのです。なぜこんなことを言いに来たのかと言えば、何でも子供がいざ国籍を変えるとなったら両親が反対し、「国籍取得、やっぱりやめます」といって中止するケースが少なくないからだというのです。私は「絶対にそんなことはありません」と断言して、警察の方にお帰りいただいたのですが、親が子供を自分と同じ国籍に縛り付けようとするケースは、確かにあるのでしょう。

特に朝鮮半島出身の在日韓国・朝鮮人の人たちは、生まれも育ちも日本であるにもかかわらず、帰化しない人が多いと聞きます。在日一世は半島から渡ってきたので母国に対する思いもあるでしょうが、今はもう在日三世、四世の時代になってきている。それでも親が帰化させないケースがあるのです。

それには理由がいくつもあるのでしょう。例えば韓国ではいまだに日本に対する敵対意識が強く、日本国籍を取ることで同胞たちから白い目で見られる。あるいは民団（在日大韓民国民団）や朝鮮総連（在日朝鮮人総連合会）といった組織にとって、国籍を保持したままの同胞が減ってしまえばその勢力が失われるため、仲間内で圧力がかけられているのかもしれません。

しかし、日本で生まれ育ち、日本語しか話せない子供に元の韓国・朝鮮籍を末代まで強いることは、それこそアイデンティティの分裂を招くのではないでしょうか。

■いいとこどりの「外国人参政権」には反対

一方で、在日韓国・朝鮮人の人々を中心に、「外国人参政権を付与すべきだ」という声があります。在日一世が「日本に無理やり連れてこられた」ことを理由に、その償いとして付与すべきだという声すらあります。しかしこれもおかしな話です。

国籍を持たず国家の行く末に責任を負わないのに、地方自治とはいえ参政権だけは行使させろという「外国人参政権」には、私は「台湾国籍」の外国人だった頃から反対です。反対することは、外国人だった私にとっては自分の権利を捨てることにもなるわけですが、基本的に「日本の国籍は取りたくないが、日本の政治には干渉したい」という姿勢自体、フェアではないと考えていました。

地方参政権だからいいじゃないか、という指摘もありますが、同じルーツを持つ人たちが特定の地域に集中している場合、ある種の組織票として機能します。となると純粋に「すべての住民のため」の公約を掲げるのではなく、当選しやすさを狙って特定の人たちの動向をうかがった候補者が当選するようになりかねない。これは「地方だからいいじゃないか」というレベルの話ではなく、むしろ国の根本を揺るがす大問題です。

日本の政治の行く末が自分の人生にダイレクトに影響するような、日本で生涯を全うしようという人で政治に参加したいならば国籍を取得すべきであり、逆にどうしてもそれが嫌だという人には政治に参加する資格はありません。

在日一世が苦労した歴史を背負っていること自体は否定するものではありませんし、私自身も台湾からの「移民」ですから、戦後間もない当時の日本社会で外国人が生きることの苦労はある程度分かっているつもりです。しかしその苦労を背負ったというルサンチマンを、二世、三世、四世にまで負わせる必要はないでしょう。むしろ、そうした態度が、日本人と在日の間に垣根を作る結果を招いていることも、事実です。

■国籍選択をしても「ルーツを捨てる」ことにはならない

また、頑なに日本国籍を取得したがらない、元の国籍を捨てたくないという人は、「国籍」だけが自身のルーツを示すものではなく、国籍を変更したからといって母国を捨てることにはならないことを理解すべきでしょう。

もちろん私は、自分の子供たちに「自分のアイデンティティに忠実に国籍を選んでほしい」と話してきましたし、私自身も日本国籍を取得したことで、台湾よりも日本を優先する意識を強く持つようになりました。しかしだからといって、私や子供たちから、台湾との「縁」や「つながり」が喪失するわけではありません。

にもかかわらず、国籍とアイデンティティの問題では日本が国民に対し二重に国籍を保有することを禁じていることについて、「単一の国籍に限定するのは、二つのルーツを持つ人間に、一方のルーツを捨てさせることになる」とする反対意見があります。

要するに「どちらも自分にとっては大事な『祖国』だから、どちらかだけを選ぶなんてできない。まるで父か母か、どちらかを選べと迫られているようなもので、心情的につらい」というようなものです。

しかしこれはあまりにナイーブにすぎる意見ではないでしょうか。

私自身、台湾国籍から日本国籍に帰化しました。しかし国籍を失っただけで、私が台湾とともにあった七十年以上の自分の人生やアイデンティティを失うことになるでしょうか。そんなバカな話はありません。また、先にも述べたように私の子供たちは自分の意思で日本国籍を取得するまでは「台湾人の両親のもとに生まれた無国籍の子供」でした。制度的にはパスポートも取れないなど宙ぶらりんの状態に置かれましたが、子供たちのアイデンティティが空白だったわけではありません。

手続き上、国籍を喪失した途端に、自分自身のそれまでのアイデンティティすべてを失うことになる、だから二重でも三重でも国籍は奪われてはならず、ルーツやゆかり、生活拠点など縁のある国の国籍は取得できてしかるべきだというのはおかしな話です。

世界情勢やグローバル化による生活スタイルの変化の潮流などから、二重国籍を認めない法律を改正してほしいという理屈もあるのでしょう。しかしその際には、二つの国籍を持つ以上は、それぞれの国からの恩恵を受けるだけでなく、それぞれの国に貢献する覚悟も持つべきであることをも同時に説かなければなりません。

それぞれによって得るメリットが二倍になるだけでなく、果たすべき義務も二倍になることを忘れてはいけないのです。

■国籍を選択することは、生き方を選択することでもある

私は優先順位が日本と入れ替わったとはいえ、今なお台湾を重んじていますし、選挙や政治の動向にも強い関心を持ち続けています。お世話になった台湾という国に対し、日本人になった今も「自分ができることはする」ことで恩を返そうと思い、実践しています。

自分が帰属する国家を選択することは、アイデンティティを選択することです。しかし、それ「だけ」ではありません。縁のある土地、好きな文化など、「自分」を構成する要素は国籍だけではないのです。

一方で、ある国の制度や文化に恩恵を受けたならば、何らかの形でそれを返していかなければならない。自分のゆかりある国同士が対立することもあり得るので、そうならないよう、「懸け橋」を自称する人たちは、少なくとも両国関係が有効であるよう努めるべきですし、「もしも」の時のために優先度を考えておかなければならない。そして国家のためにできることを、国民の側も考えなければならない。そうした国民と国家のありかたを、今後日本人は学んでいかなければならないのではないでしょうか。

蓮舫さんの二重国籍問題を、メディアは単なる差別や野党批判の一環であるかのように扱っていましたが、実はこうした大きな問題を日本に突きつけていたのです。

第3章 脆弱な国家・台湾の光と影

40年ぶりに台湾帰国を果たしたときに知人たちが開いてくれたパーティーで挨拶する夫・周英明

■蔡英文総統選勝利と香港からの後押し

二〇二〇年一月十一日。当初の予想を上回る五七％の得票率で総統選に勝利した蔡英文の晴れ晴れとした姿に、私は台湾の明るい未来を重ねました。台湾はもう二度と後戻りしない、そう確信したのです。

学者出身の蔡英文は派手さはないけれど、実直で清潔で、何よりも一生を台湾に捧げている。その姿勢が支持されたのでしょう。大陸中国からの圧力に一歩も引かず、屈しない芯の強さ。「台湾人である」というアイデンティティが彼女を支えています。

彼女が民進党の党首を引き受けた二〇〇八年に食事をした際、私は彼女にこう声を掛けました。

「あなた、こんなにしんどい仕事をよく引き受けたわね」

この頃の民進党は下野した直後で、最も大変な時期を迎えていました。男たちは損な役回りを引き受けたくない、自分の経歴に傷をつけたくないと逃げ回り、だからこそ彼女にお鉢が回ってきた面もあったのです。大変なときに、こんな大仕事をよくぞ、という心からの思いでした。するとと彼女はこう答えました。

「父が生きていたら、絶対に許さなかったでしょうね」

それもそのはずで、蔡英文は多くの兄弟の末っ子で父親から愛されて育ち、台湾のトップ名門大学である国立台湾大学法学部を卒業後、英米に留学して立派な学者にもなった。そのまま学問の道で羽ばたく道もあったはずなのです。親の気持ちになって考えれば、優秀で自慢の娘に政治という清濁入り乱れる世界での苦労など、絶対にさせたくはなかったでしょう。

しかし彼女は党首を引き受け、総統となり、再選までされた。そしてその両肩に、台湾の命運を背負うことになったのです。

二〇二〇年の台湾総統選には、二〇一九年三月から続いていた「香港デモ」が大きな影響を与えました。

香港デモは、香港と中国の間で犯罪者の引き渡しを可能にする「逃亡犯条例」への反対を発端として発生。香港に対する中国当局の関与の度合いを高める法律に対する強い反発、普通選挙の実施要求、デモを暴動として取り締まろうとする中国の姿勢への抵抗などを含む「五大要求」を掲げる大規模なものに発展しました。

中国当局の意を受けた香港警察のデモ隊への発砲や、暴力的な取り締まりの模様が連日報じられ、改めて中国当局の「非民主的なやり口」が全世界に知れ渡ることになりました。

中国の影響がより強く及ぶようになれば、台湾も香港と同じ状況になりかねない。「今日の香港、明日の台湾」というキャッチフレーズが、台湾の人々の危機感を高めました。今回のデモの原因となった「逃亡犯条例」のような政策だけではなく、じりじりと影響力を増す中国への警戒感が背景にあったのです。

香港では、中国本土からの投資が増え、富裕層の流入が増えています。特に裕福な若い中国人の夫婦は、子供を香港で育てたいと言って香港にやってくる。すると香港の不動産価格はどんどん上がってしまい、香港の若者たちは香港に家を持つことも、住むこともできなくなりつつありました。

一方で、産業は中国本土に流出し、空洞化している。「本土の方が賃金が安くて済む」というわけです。それによって香港の若者たちは賃金が上がらず、一方で上昇する不動産価格と相まって、生まれ育った地を追われつつある。そのため、本土に家を持って、香港に通勤している事例まであるようです。

この「不動産価格の上昇」「中国人の流入」「産業の空洞化とそれによる賃金低下」については、台湾でも全く同じ現象が起きています。そして、経済を理由に中国に接近しようという声も後を絶ちません。

これは日本でも全く他人事ではなく、日本では「明後日の沖縄」というフレーズまで加わっていたほどです。

中国への危機意識が東アジアを覆う中で、台湾も中国接近ではなく、中国と距離を取る民進党の蔡英文を総統に選んだのです。

■対中警戒感を高める台湾と香港

台湾と香港の置かれた状況はもちろんかなり異なっています。台湾の歴史についてはのちに詳しく説明しますが、中国との関係で言えば清に支配された一時期があったものの、大陸から見れば、台湾は「化外の地」（国家統治の及ばない土地）であるとされていました。

一方、香港は古代から大陸の支配下にありました。一八四〇年に清とイギリスの間でアヘン戦争が起き、清が敗北。南京条約締結の結果、香港はイギリスに永久割譲されました。

第二次世界大戦後も香港はイギリスの植民地支配下にありましたが、一九九七年、香港はイギリスから中国に返還され、二〇四七年までの暫定措置として一国二制度を続けることになっています。それまでは香港の高度な自治は保障されますが、それ以降は「一国一制度」、つまり他の地域と同じ体制に組み込まれていくことになる。しかも中国はそのスピードを想定以上に速めるつもりなのではないか。そんな懸念が香港の若者たちを突き動かしているのです。

一九九七年当時、香港返還はお祝いムードをもって迎えられていました。「中国に返還されても香港は変わらないだろう」という楽観論が大半で、香港は返還後も東西の文化が入り混じった独特の雰囲気を失わず、多くの観光客をひきつけ、むしろ大陸との結びつきによって経済的にも良い影響があるだろう……と考えている人たちも多かった。植民地から解放されるという解放感も、こうした楽観論に拍車をかけたのかもしれません。

当時、出席したあるシンポジウムでは、東京大学の若い教授が「今後の香港に対しては『悲観的楽観論』を持っている」というどっちつかずなコメントをしていました。しかし私は中国のやり口を身をもって知っていましたし、香港の行く先も見えていたので「評論家生命を懸けてもいい。香港は絶対に今より良くなることはない。香港が返還前の自由を保てるわけがない」と断言しました。どちらが正しかったかは、言うまでもないでしょう。

私は一九九七年七月一日の香港返還の直前に、「Say goodbye to Hong Kong」と銘打って、最後の自由な香港を見に行きました。香港が徐々に中国に引きずり込まれていくのは、返還の時点でほぼ自明のことだったからです。事実、今回の香港デモへの当局の対応から、香港の自由がすでに大幅に制限されていることは世界中に知られるところとなりました。

二〇四七年を迎える前から、香港の「普通選挙」は名ばかりとなっています。香港デモのあった二〇一九年には区議会選挙で「民主派」、つまり反中派が議席の八五％を収める大勝利となりましたが、ここで選ばれた議員には立法権がありません。

一方、香港のトップである行政長官については、千二百人で構成される選挙委員会で選出されますが、その委員は多くが中国政府寄りだと言われています。つまり実際には中国共産党の選んだ候補者を、中国の息のかかった人が選ぶ「茶番」にすぎず、選ばれた人たちも中国共産党の意向には逆らえないのです。

香港の行政長官・林鄭月娥（キャリー・ラム）は香港デモによって香港の民意と中国共産党の意向の板挟みになり、自分自身の意思では続投することも辞任することもできない立場にあることを世界に露呈してしまいました。これもまた香港の「政治の自由」がすでに有名無実であることを強く物語っているのです。

若者たちは中国に引きずり込まれる「その時」を少しでも遅らせ、その程度を軽減しようと、今から「一国一制度」へ向かおうとする中国の動きに厳しく目を光らせ、時に激しく抵抗しています。

香港大学の二〇一八年の調査によれば、香港人のうち「自分は『香港人』である」と考える人が八五％に達したのに対し、「自分は『中国人』である」と答えた人はわずか一五％だったと言います。中でも若者たちは「香港人」としてのアイデンティティを強く持っており、二〇一七年の調査では、十八～二十九歳の回答者のうち「自分は『中国人』である」と答えた割合はたった三％だったのです。

香港の若者たちは「自分たちは法的にも、社会的にも、文化的にも中国とは違う」と考えていると言います。そもそもデモの自由があるだけでも中国本土とは違うわけで、名実ともに中国に吸収されれば、こうした政治意思を表明できなくなることは明白。

二〇一四年の雨傘革命、逃亡犯条例に端を発するデモ、そして二〇二〇年五月二十八日、全人代は香港への統制を強めるため「香港国家安全法」導入を決定し、香港の反発はますます激しくなっています。

■中国接近にNOを突きつける台湾世論

台湾は香港とは事情が違いますが、中国が「核心的利益」であるとして、台湾を自国のものとしようとしている点では重なる部分があります。

そして、国民党は中国に接近しようとする。二〇〇八年に総統に就任した国民党の馬英九は、外省人です。国民党は本来、中国共産党とは対立していたはずですが、それなのになぜ、中国寄りの態度を取るのか。

それは「外省人・国民党による『中華民国体制』が維持できて、支配者として特権を保つことができるならば『台湾』でもいいが、本省人、つまり台湾人が支配者になるくらいなら共産中国と一緒になった方がいい」という考えに基づいています。

二〇一四年、馬英九政権が進めていた台中間の市場を開放するための「サービス貿易協定」に反対し、台湾の若者たちが議場を占拠する「ひまわり運動」を展開しました。かつて李登輝さんが総統に就任することが決まった直後の一九九〇年三月にも、民主化を訴える学生たちの大規模な運動が繰り広げられ、この運動は「野ユリ学運」と呼ばれていました。李登輝さんは学生に歩み寄り、中世紀念堂に座り込んだ学生たち五十人をバスで総統府まで連れてきて、直に話し合って彼らの要求をのんだのです。台湾のその後の民主化にとって、非常に大きなターニングポイントでした。

台湾の歴史的分水嶺には、学生たちが立ち上がるのです。二〇一四年の「ひまわり運動」も、台湾が中国に飲み込まれてしまうのではないかという危機感から、当時の馬英九政権の方針にＮＯを突きつけるものでした。一般市民からも差し入れなどの支援が行われる、この危機感は台湾人の多くが共有するものでした。だからこそ、二年後の二〇一六年の総統選での、民進党・蔡英文の勝利にもつながったのです。

■中国の言う「台湾問題」など存在しない

中国は台湾を「自国の一部であり、独立は認めない」としています。中華人民共和国は自らを、〝消滅した中華民国の正統な継承国家〟であるとし、蔣介石ら国民党軍が戦後、台湾へ移転させた中華民国政権は正統なものではなく、台湾は中華人民共和国における「台湾省」であると位置づけています。

そのため、中国は台湾を併合・併呑・侵略するなどとは言わず、「統一」と言ったり、「台湾問題の解決」などと言ったりしているのです。しかし、一度たりとも中華人民共和国の一部であったことのない台湾が、なぜ「統一」されなければならないのか。なぜ「台湾」を語ることが「分裂を助長している」などと言われなければならないのか。全くおかしな話です。

一方、当の台湾の世論は三分の一が独立派、三分の一が中国寄り、残りの三分の一が浮動票になっています。独立派と大陸派がせめぎ合い、浮動票がその時々の情勢に合わせて中国寄りの国民党か、独立志向派の民進党か、どちらかに投票しているという状況にあります。

以前、櫻井よしこさんに「台湾では、（一九四五年以前から台湾にいた）本省人が八五％を占めているのに、（一九四五年以降、大陸中国からやってきた）外省人になぜ選挙で負けるのですか」という素朴な疑問をぶつけられたことがあります。その場にいた台湾人数人は返事に困ってしまったのですが、要するに中国から来た国民党による歴史教育を受け、台湾人としてのアイデンティティを育むことができなかった人や、「長いものに巻かれて得をする方が賢い」「国家うんぬんよりも、中国との金儲けの方が大事だ」と考える人は、本省人の中にもいるというわけです。

中には「中華思想」の信奉者もいるでしょう。中華思想信奉は宗教のようなもので、漠然とした憧れを持ったり、あるいは中国の言うところの「統一」の幻想に惑わされているにすぎない。「そんなに中国がいいなら、今すぐ中国に移住すればいい」と思うのですが、台湾の親中派も中国に住みたいと思っているわけではないのです。「中国と一緒になることで、メリットだけを享受したい」ということなのでしょうが、そんなにうまい話はあり得ないのです。

二〇二〇年の選挙では、浮動票の多くが蔡英文に投票しました。そのため一九九六年から行われている直接選挙以来、過去最多の得票数を得たのです。これは明らかに香港デモの影響で、普段は中華思想にさほどの抵抗がなく「商売がうまくいくなら台中接近も悪くない」と考えるような人たちでも、香港で展開される弾圧の実情を目の当たりにして、「中国共産党はＮＯ」という感覚を持ったのでしょう。

基本的にお気楽で楽観的な人の多い台湾人ですが、さすがに今回ばかりは香港の状況を見て、「中国の言うことは甘言にすぎない」ということをよく理解したのではないでしょうか。

特に台湾の若者たちは「天然独立派」と言われ、親やその上の世代のルーツがどうであれ、生まれた時から台湾人であるというアイデンティティを持っています。

若ければ若いほど、中国人の恐ろしさを直接経験する機会がなく、その分、大陸から来た国民党の圧政を知る私たちの世代よりも対中アレルギーがない、と言える面もあるかもしれません。しかし今回は中国・習近平がオウンゴールを決めてしまった感があります。

香港の様子を見て、台湾の若者たちをはじめとする多くの人たちは「明日は我が身だ」と思った。だからこそ独立派の民進党・蔡英文に投票したのです。

「天然独立派」の若者たちが、「自分たちは『台湾人』である」というアイデンティティを持つ。これがどれだけ重要な意味を持つかは、「自分は日本人である。親も、祖父母も、その上の先祖もみんな日本人」という認識を考えるまでもなく持っている人が大多数の日本人には分かりづらいかもしれません。が、台湾の歴史においてはほとんど初めてのことなのです。

世界からは国家承認されず、国際社会の孤児という立場に追いやられている台湾人が、ついに「国家」意識を生来のものとして持ち始めた……。これがいかに困難な道のりのもとにあったかは、生まれながらに「日本人」で、そのことも日本が日本でなくなる事態も経験したことのない日本人には、なかなか理解が及ばないでしょう。そのことについて考えるために、台湾の歴史について少し振り返っておきましょう。

■「美しい島、台湾」、四百年の被支配の歴史

台湾は約五百年前の十六世紀、ポルトガル人によって発見されました。欧米では今でも台湾は「フォルモサ」と呼ばれますが、これは台湾を発見したときに船員が「イル・フォルモサ！」（何と美しい島だ！）と声を上げたことに由来します。

その後、貿易のための中継地を探していたオランダが台湾海峡につながる澎湖島を占領。明王朝と争った末、海峡からの撤退と貿易を条件に、明王朝がオランダに台湾占領を許可。そうして台湾の先住民たちは、オランダの支配下に入ることになりました。

それから四十年近くが経とうとする一六六一年、大陸で清王朝の勢力と戦い「明王朝の復興」を目指していた鄭成功が台湾にやってきて、オランダ勢力を一掃します。鄭成功は福建省の役人だった父・鄭芝龍と、日本人の母・田川マツの間に生まれた〝ハーフ〟で、出生地は長崎の平戸です。日本の歴史教科書にも登場するのでご存じの方も多いでしょう。近松門左衛門作の人形浄瑠璃「国性爺合戦」のモデルでもあります。

鄭政権の後は清の支配が及び、二〇〇年余り続きますが、清は台湾にあまり積極的にかかわろうとせず、大陸からの渡航も厳しく制限していたほどです。

一八七一年には宮古島の人々が遭難して台湾東南海岸に流れ着いたものの、台湾の原住民に殺される事件が起きました。この時日本政府は清朝に抗議しましたが、清側は「台湾の原住民は『化外の民』（国家統治の及ばない者）である」と答え、責任を放棄。日本政府は一八七四年に台湾出兵を行い、一八九四年に日清戦争が勃発。日本が勝利して結ばれた日清講和条約では、台湾と澎湖島の日本への割譲が決まりました。五十年にわたる日本統治は、こうして始まったのです。

■日本統治時代——台湾人にも優しかった日本人教師

日本の台湾統治は、欧米が各地で行ってきた植民地支配とは違うものでした。特に違っていたのは、被植民地住人に対して高度な教育を施したことです。台湾の津々浦々に学校を作り、日本人の先生たちは実に熱心に、日本人と台湾人で区別することなく、子供たちの教育に当たりました。

統治下の小学校は、日本語ができる子向けの「小学校」と、できない子向けの「公学校」に分かれていましたが、これは「差別」などではなく、合理的に子供の状況に合わせて教育を受けさせるシステムでした。そのため日本語を使いこなせるようになった台湾人の子も小学校に通うことができたので、私も小学校三年生の時点で、台北の寿小学校に転校することになりました。

その小学校で、私は忘れられない体験をしました。国語の授業で日本人の先生が「今授業で読んでいる物語をノートに書き写す」という宿題を出し、提出すると最後のページに判を押してくれたのですが、好きな本を読みたかった私は手抜きを思いつき、最初と最後のページだけを写して提出したのです。「どうせ先生は最初と最後のページしかチェックしないだろう」と踏んでのことでした。

ところが私はそのノートを自宅に置き忘れてしまい、先生から取りに帰るよう言われてしまったのです。「後から一人分だけチェックするとなれば、私の手抜きがバレてしまう……」と思いましたが、他に選択肢はなく、私は自宅にノートを取りに帰って提出したのです。手抜きは発覚し、先生は私を叱りました。しかしそれは感情的に怒鳴るようなものではなく、真剣な「叱責」でした。

私もそれを「台湾人だから叱られた」「理不尽だ」とは思いませんでしたし、先生もあくまで公平に、日本人の生徒と区別することなく「先生と生徒」という関係を保ったうえでの、当然の叱責でした。台湾人の私と、日本人の先生との間にこうした信頼関係が築けていたのです。

■なぜ台湾とは違い、韓国は日本統治時代を全否定するのか

一九二八年には台北帝国大学が設立されましたが、これは日本における七番目の帝国大学です。日本は朝鮮半島でも教育に力を入れ、京城帝国大学の設立は一九二四年です。韓国人は日本の「皇民化教育」を余計なお世話で民族の誇りを奪うものだったとしています。しかし台湾の私の世代ではおおむね、「支配の体系は植民地ではあったが、近代化のための努力であり、客観的に見て評価できるものであった」ととらえています。

この点で、日本人によく訊かれるのが韓国との違いです。韓国の場合植民地ではなく併合という形でしたが、朝鮮半島で三十六年、台湾で五十年、同じような日本統治が行われました。しかし戦後の評価、台韓の親日度には雲泥の差があります。なぜこんな違いがあるのか、と日本人が不思議に思うのも無理はありません。

前提として、朝鮮半島にはかつて李王朝が存在したにもかかわらず日本に併合されたという経緯があり、一方、台湾は四百年にわたる植民地の歴史で、他国民による統治に対する抵抗が比較的少なく、そのあとやってきた国民党政権の圧政があまりにも過酷だったために、日本統治時代が相対的に美化されたという点も、全否定することはできないでしょう。

しかし、それにしても台湾と朝鮮半島での「日本統治時代」の受け取られ方や評価は、かなり対照的です。

教育を施し、インフラを整備して近代化を実現した――日本人が行ったことは、台湾でも朝鮮半島でも基本的には同じ考えからです。植民地ではあっても、本土並みにしていきたいとの思いから、日本は台湾と朝鮮を近代化すべく、教育を行い、開拓・開発しました。日本人も、もちろん台湾人も、一緒に汗を流し、時には血をも流したのです。

台湾では、嘉南大圳（ダム）を造った八田與一氏などは、功績をたたえる銅像が台湾人の手によって建てられ、今も多くの献花が捧げられるほどです。日本統治時代の台湾の高校球児たちの活躍を描いた映画『ＫＡＮＯ　１９３１海の向こうの甲子園』でも、八田氏を慕う子供たちの姿が描かれたり、現在も台湾では歴史の授業で必ず触れられるという、まさに「恩人」です。

一方韓国では、日本が行った教育は「皇民化」であり、日本人に無理やり同化させ、民族の誇りや文化を奪うものだったと解釈されています。八田氏のような、「朝鮮半島近代化の恩人」といった人も実際にはいたのでしょうが、韓国では誰も名前を知らないし、日本でも知られていない。それどころか、統治時代に日本に協力した朝鮮人までもが「積弊清算」の名のもとに、「親日派パージ」の対象になっているのです。

台湾がこれだけの親日感情を持っているのに、韓国はずっと反日、反日と言い続けている。この大きな差はどこから来るのかといえば、要するに民族性の違いが大きいのでしょう。

台湾人は比較的素直、南方の人間特有の能天気さもあり、物事を前向きにフェアにとらえる人が多い。嫌なこともすぐに忘れて、喉元過ぎれば熱さを忘れる式に中国の怖さを忘れてしまう欠点もありますが、基本的に恨みつらみをいつまでも語り継ぐという国民性ではありません。

また、「日本語世代」の実業家・許文龍さんはかつてこんな風に言っていました。
「そもそも台湾人の親日は、共産中国の脅威があって始まったことではない。戦後の蒋介石による支配の過酷さとの比較があったとしても、日本の台湾統治時代そのものに親日の淵源があります。

その時代を実際に体験した私たちの世代から言えば、何か特別に針が振れて親日に変わったのではなく、終戦後、日本が去った後にやってきた大陸系の人々が反日だから、私たちの日本に対する見方が親日的に見えるだけ」

実に客観的な意見です。もともと温和な台湾人と日本人の相性が良かったこともあるのでしょうが、台湾人は良いものは良いとフェアに評価したいという気持ちが強い。また、恨みつらみをいつまでも抱き、相手に謝罪や賠償を迫るようなことはしたくない、そんな生き方は人に誇れるものではない、という考えを持っている人も多いのです。

一方、朝鮮半島のように寒くて緑も少ない厳しい生活環境のもとで育まれた民族性においては、同様の統治に対しても違った評価が生まれるのでしょう。朝鮮半島では「恨（ハン）」の感情が強いと言われるように、怒りやつらさだけでなく、無念や嫉妬など様々な感情が入り交じった得も言われぬ感情を抱いています。特に日本に対しては、歴史的にもそうした思いを抱きやすいのでしょう。

もちろん、台湾においても差別的な日本人もいたでしょうし、台湾人が何もかも完全に日本人と同等の扱いだったわけではありません。支配されることに反感を覚え、抵抗した台湾人たちもいました。

しかしそれでも、台湾人にとって日本統治時代は、台湾人の性質も相まって「悪いことばかりではなかった」「いい思い出がたくさんある」と肯定的に振り返ることのできる時代ではあったのです。

それを表すのが「日本精神《リップンチェンシン》」という言葉です。誰が言い始めたのか定かではありませんが、台湾人が自発的に、いつの間にか口にするようになっていた言葉です。公平さ、真面目さ、清潔さ、正直さなどを表すこの言葉からは、台湾人が日本統治時代をおおむねどのようにとらえていたかがわかるでしょう。

日本統治時代、台湾と日本が歴史を共有した五十年という月日は、おおむねベル・エポック（良き時代）だったと考えている人が多いのです。そうした「日本語世代」の台湾人たちの実感は、誰に否定できるものでもないはずです。

もちろん、他国を植民支配することを肯定するつもりはありません。しかし、その中で行われたすべてのことを悪とすることもまた間違いなのです。

戦後訪れた「国民党支配」という悪夢

一方で、台湾人にとってはどんなに目を凝らして眺めなおしても、良いところが一つもなかったのが戦後、中国からやってきた国民党による支配です。

敗戦で日本が台湾から引き揚げたのち、大陸からすぐに国民党軍が台湾へ渡ってきました。

台湾統治の責任者・陳儀長官は、一九四五年十月、国民党軍の台湾進駐軍代表としてやってきて、「親愛なる同胞よ！　今や諸君は祖国の懐に温かく抱かれたのだ！」と呼びかけました。この言葉に、台湾の人々は胸を熱くしたものでした。

ところが、台湾人たちは大陸からやってきた中国兵の様子を見て唖然としました。日本の兵隊に比べて、なんとみすぼらしく粗野であったか！　当時の台湾には、中国大陸から渡ってきた人や、大陸にルーツを持つ人たちも少なくありませんでした。しかし規律正しい日本兵とは雲泥の差の中国兵に閉口したのです。

しかも彼らの振る舞いは、「日本精神」に代表される公平さ、清潔さとは真逆のものでした。順法精神は全くなく、賄賂や腐敗を当然のものとしていたのです。そして、陳儀長官の言葉が真っ赤な嘘であったことも、しばらくして判明することになりました。

台湾を語る際に登場する「本省人」「外省人」という言葉はこの機を境に区別されています。日本が敗戦で台湾から手を引く前に台湾に来ていた人たちは大陸にゆかりがあっても「本省人」と呼び、それ以降に中国大陸から渡ってきた人たちを「外省人」と呼びます。その後の台湾では、本省人であるか外省人であるかが、文字通り生死を分けたのです。

■台湾に暗い影を落とした「二・二八事件」

国民党の統治の中でも最も強く影を落としているのが、二・二八事件です。

一九四七年二月二十七日の夕方、台北の下町である大稲埕に中国人の警官がやってきました。当時の台北では路上で密売たばこを売る人たちが後を絶たず、警官たちはこれを厳しく取り締まっていました。

その日、密売で生計を立てていた未亡人が、警察に目を付けられました。連行されそうになったその未亡人は「子供がいるんです」「助けてください」とすがりましたが、警官に殴られて血が流れていました。

それを見ていた台湾人たちが「許してやれ！」と警官に詰め寄り、一触即発のムードになると、身の危険を覚えた警官が、群衆に向けて発砲したのです。これに怒った民衆は翌二十八日、「発砲した警官を処罰せよ」とたばこの専売局前に押し寄せました。すると当局側は、説得することもなく機銃掃射を浴びせかけたのです。

これまでも、国民党の圧政には皆我慢の限界だったのです。これを機に、台湾人の怒りの炎が全土に燃え広がりました。しかし国民党は、台湾人の「反乱分子」を取り締まり、一掃する機会を待っていた。そのため絶好の口実を与えられた格好になってしまったのです。白色テロ（当局者が反政府行動を取り締まり弾圧すること）が横行し、戒厳令が敷かれ、公式に言われているだけでも二万八千人に及ぶ人々が粛清されることになりました。

当時私は十三歳。通っていた学校は休校になりました。国全体が、戒厳令下に置かれたのです。学生たちの中には、抵抗を試みる者もいましたが、実に惨憺たる状況でした。私の夫の周英明は、中学生の頃に学校の先輩が殺され、遺体がさらされているのを見たと言います。将来有望な学生たち、医者や学者といったエリートを中心に、台湾の知識層が一掃されました。国民党政府の真の狙いは、将来台湾のリーダーになり得る人々を消し、自分たちが台湾を支配する側に立つことだったのです。

そしてこの時敷かれた戒厳令は実に三十八年にわたって継続することとなり、その間、日本の教育を受けた本省人の中でも知的エリート層がことごとく投獄・殺害されました。北京語がうまく話せるかどうかを踏み絵にして、話せる外省人を残し、話せない本省人を血祭りにあげたのです。つまり国民党政権は、台湾人を「同胞」などとは毛頭思っておらず、支配に邪魔な存在としかとらえていなかったのです。

■「台湾人、万歳！」と日本語で叫んだ湯徳章

二・二八事件で犠牲になった知識人の中に、日台ハーフの湯徳章（日本名・坂井徳章）という人物がいます。この方はある意味、日本統治時代の象徴であり、また国民党の「知識層を一掃する」目的の犠牲者の象徴でもありました。しかしそれゆえに戒厳令下の台湾では彼の人生が語られることもなく、彼が絶命した台南という台湾の一部で密かに知られているのみでした。

作家の門田隆将さんが二〇一六年に湯徳章さんの人生に光を当て、『汝、ふたつの故国に殉ず――台湾で「英雄」となったある日本人の物語――』（ＫＡＤＯＫＡＷＡ）という一冊の本にまとめられて、日台で同時発売されたことで、日本や台南以外の台湾国内でも、湯徳章という人物が広く知られるところとなりました。

父は台湾で警察官を務めていた日本人、母が台湾人という両親のもとに生まれた湯徳章さんは日本の中央大学でも学ぶなど、勉学に勉学を重ね、「台湾の人権意識の発展に貢献したい」と台湾で弁護士事務所を開設します。

しかし一九四七年に二・二八事件が発生。国民党のやり口をよく知っていた湯徳章さんは何とか台湾人の犠牲を最小限にとどめるべく、相手に粛清の口実を与えないよう、

「武力蜂起」を画策する学生をなだめて治安維持に協力させるなど慎重を期していたのですが、国民党の毒牙にかかってしまった。国民党にたてつく学生の名前を言えと責められ、あばら骨や腕の骨を折られるなど筆舌に尽くしがたい拷問を受け、それでも口を割らなかった湯徳章さんは、市中を引き回された挙句、ついには公開処刑されることになってしまったのです。

処刑直前、湯徳章さんはまず台湾語でこう叫んだそうです。

「私を縛り付ける必要はない！　目隠しも必要ない！　私には大和魂の血が流れている！　もし誰かに罪があるとしたら、私一人で十分だ！」

さらに、日本語でこう続けました。

「台湾人、万歳！」

この最期の言葉が、どれだけの重みをもっていたか。

私はこの事実を、門田さんの本を読んで初めて知りました。しかし、彼のように処刑されたり、国民党の呼び出しに応じて出て行ったまま帰ってこなかったという人たちが、あちこちにいたのがこの二・二八事件であり、その後の白色テロの時代だったのです。

日本統治下で高等教育を受けた人たちが狙い撃ちされ、知識人や指導者になり得る若い台湾人たちが根こそぎ命を奪われた。すべては中国人である国民党の支配を強化するためでした。

国民党に頭を押さえつけられ、言葉まで奪われた台湾人は、こうした残虐な事実を大っぴらに国際社会に訴えることもできず、国民党に見つからないよう細々と語り継ぐしかなかったのです。

湯徳章さんが処刑された台南の民生緑園は、後年「湯徳章紀念公園」と改称され、彼の胸像が建ちました。そして二〇一四年、当時台南市長だった頼清徳は、湯徳章さんの命日である三月十三日を台南の「正義と勇気の日」に制定しました。湯徳章さんの処刑から六十七年もの月日が経っていました。

■知力と勇気で国民党独裁に立ち向かった学生たち

こうした弾圧が強まる中、中学・高校に通っていた私自身は政治には特段の興味を持たずに過ごしていました。中国人は怖い、あるいは蒋介石政権の横暴に対する漠とした反感は持ってはいましたが、「私が台湾の現状を何とか変えるのだ」というような強い意志を持っていたわけではありません。

当時台湾では、大学に進学する際には海外へ留学するパターンが大半を占めていました。私はちょっとさぼっていて後れを取りましたが、恩人たちの力添えもあり、一九五九年に日本へ留学。二年後には、のちに夫になる周英明も来日しました。

日本は当時、学生運動真っただ中。若者がこれほど自由に意見を表明できるのかと、戒厳令下の台湾との差に驚くばかりでした。そんな中、一九六〇年に『台湾青年』という一冊の雑誌が手元に届きます。これが私の運命を変えました。

『台湾青年』は台湾の問題点を率直に指摘していました。そもそも、「台湾」という言葉自体が、独立を志向しているとして厳しく取り締まられる時代でした。にもかかわらず、台湾独立を志向する留学生とおぼしき学生たちが、勇気と知力をもって、祖国について語っていたのです。

私が漠然としか感じていなかった違和感を、ここまではっきりと活字にしている。私は彼らの言葉を震える思いで読み、その勇気に感動しました。そして「自分だけ、何もしないで安穏としているのは卑怯ではないか」と感じたのです。

結局これがきっかけになり、私は独立運動に身を投じることになりました。早稲田大学で「台湾稲門会」という独立運動団体を作り、ひょんなことからトップを務めることにもなりました。「台湾」という言葉自体がタブーだった時代に、こんな名前の会のトップにいれば、国民党から目を付けられるのは当然のこと。もちろん、覚悟のうえでした。同じく独立運動に身を投じていた周英明と結婚しましたが、日本では、常に強制送還される身の危険を感じながらの生活でした。一九六四年には周英明がパスポートを没収され、ならば当然私のパスポートも更新されるわけがない、と私は自分のパスポートを破って捨てました。政治犯としてブラックリストに載ってしまった私たちは、事実上の政治亡命者。もう台湾には帰れないという不退転の覚悟でした。

それでも私は、「名誉のブラックリスト入り」だったと思っています。卑劣な国民党政権に敵視され、中華民国ではなく台湾であるということで目を付けられるなら、本望だと腹をくくったのです。

三十年以上前になるでしょうか。ロサンゼルスの台湾同郷会で、国民党派と独立派がそれぞれ講演を行い、ディスカッションする会がありました。当時国民党側は与党ですから、アメリカ中の留学生をカネで集めて、国民党側の意見に対して大きな拍手をさせるのです。こちら側の一人から、「参加はとりやめよう。ディスカッションになったら聴衆の反応がすべてだ。サクラを動員している国民党側には勝てないよ」と言われたのですが、私は猛然と反発、「敵に後ろを見せるなんてまっぴらだ」と言って、こちらも台湾協会の集会終わりの人々を会場に呼び込み、私の発言に対して相手に負けないくらいの拍手を送ってもらったのです。これによって、国民党からは一層恨まれて、国民党系のメディアからはさんざん悪口も書かれましたが、私はその時にこう言いました。

「私にとって、国民党のブラックリストに載ることは名誉。むしろ光栄です」

私の「名誉のブラックリスト入り」は一九九二年、李登輝さんによってようやく解除されました。

■「李登輝総統誕生」で台湾に初めて光が差した

戦後、台湾と台湾独立派にとっては長く苦しい状況が続きましたが、ようやく台湾に光が差してきたのは、一九九〇年に李登輝さんが総統になって以降です。

李登輝さんは一九八四年に国民党政権の副総統となり、総統の蔣経国（蔣介石の息子）の死去により、代理総統に就任。その後一九九〇年に総統選挙に出馬し、名実ともに台湾の総統の座につきました。

今でこそ李登輝さんは台湾独立派・親日派として知られていますが、当時は国民党の議員であり、蔣経国総統の下で副総統を務めていました。そのため、総統選挙の際には、台湾独立派は李登輝を支持するか否かで大いに議論となっていました。

私はその中で、李登輝支持をはっきりと打ち出しました。

確かに李登輝さんは国民党に所属していました。しかし、中国人ではなく台湾人であるという「本省人」としてのアイデンティティを彼が持っていることは分かった。それを強く感じたのは、司馬遼太郎さんとの『週刊朝日』での対談でした。

この中で李登輝さんが述べた「台湾人に生まれた悲哀」という言葉に、私は特に強い共感を覚えました。李登輝さんは、ファラオ圧政下のエジプトで虐待されていたユダヤ人をモーゼが連れ出し、シナイ半島をさすらって、苦難の末に「約束された蜜と乳のあふれる地」にたどり着く物語「出エジプト記」を引いて台湾を語ったのです。

これは、私たち独立派の思いに重なるものでした。当時、国民党のブラックリストに載り、祖国に帰ることのできない台湾独立派が集まると、ベルディのオペラ『ナブッコ』の中の、「行け／わが心／黄金の翼に乗って」という合唱曲をみな、涙ながらに歌ったのです。

「ナブッコ」とは、ネブカドネザルの名で知られるバビロンの暴君で、彼はイスラエルの土地から約一万五千人のユダヤ人をバビロンに連れて行き、奴隷として使役しました。ユダヤ人が外国にとらわれ、祖国に帰ることもできずに遠い故郷を懐かしんで歌うのが、この歌なのです。

私は、李登輝さんが「将来の台湾を、自由と民主主義という〝蜜と乳のあふれる地〟に導きたいと考えているのだな」と感じ、李登輝さんがまぎれもなく「台湾人」であること、「台湾を愛している、真の独立派」であることを感じ取り、「今の台湾に必要なのは李登輝だ！」と確信したのです。

さらに私は、敬愛する司馬遼太郎さんにお会いした際に、「李登輝さんは『本物』でしょうか」と尋ねました。すると司馬さんは、「本物です。彼は命を懸けています」と仰った。洞察力と慈愛に富んだまなざしを持つ司馬さんの返事を聞いて、私はますます「李登輝支持」の意を強くしたのです。

■初めて運命の女神が台湾にほほ笑んだ瞬間

当時、独立派は彭明敏という候補を推していました。しかし彼はあくまでも学者であり、活動家であって、政治家ではなかったのです。李登輝さんも元は学者ですが、一九七〇年代から政界に進出していたため、彭明敏との政治経験には歴然とした差がありました。

私は「今回の選挙では李登輝を推す！」と公に宣言、すると当時独立派だった若い男性が激しくかみついてきました。「どうして独立運動を弾圧してきた国民党の候補を支持するんだ」というのです。

彼の気持ちもよく分かります。確かに、独立派は国民党にいじめ抜かれてきましたし、私自身台湾に帰ることすら許されなかったのですから、その苛烈さは身をもって知っています。

しかし、あの時台湾に必要だったのは、「台湾人の総統・李登輝」でした。しかも、国民党の支持者だけの票で当選させるわけにはいかない。独立派からも、いわゆる浮動層の有権者からも票を得て「台湾の総統」として選出され、支持され、台湾の人々のために働く人物が必要だったのです。

こうした発言は勇気のいることです。ブレた、と受け取る人もいるでしょう。しかし私は、信念に正直に、しかし柔軟に判断したまでのこと。本当の強さというのは頑なになることではなく、行くべき方向を見失わず、今できる最善の手を勇気を持って選び取れることを指すのではないでしょうか。

当時も、「金美齢は裏切り者だ」とか「権力にすり寄っている」などという批判を受けました。だからというわけではありませんが、私は李登輝さんに会うことを避けていました。私自身は権力の座にこれっぽっちの興味もありませんでしたが、はたから見れば誤解を招くことは明らかだったからです。結局は実業家で李登輝さんとの関係の深い許文龍さんが私を無理やり引っ張っていって、李登輝さんと会わせてしまったのですが……。

西郷隆盛は「命もいらず、名もいらず、官位も金もいらぬ人は始末に困るものだ。この始末に困る人がいなければ、艱難《かんなん》辛苦をともにして国家の大業を成しえることはできない」と言いましたが、こうした政治運動をやる際には、まさに金もポストも手にしてはならないのです。

李登輝支持をあの時点で打ち出すことは、確かに勇気のいることではありました。反発も大きかった。しかし今となってはあの時の選択が正しかったことは明らかです。台湾の総統・李登輝が誕生した瞬間、台湾に初めて運命の女神がほほ笑んだのです。

■祖国の危機にこそ、祖国とともにありたい

総統になった李登輝さんは民主化を推し進め、一九九四年には「次期総統からは国民が直接選挙で選ぶ」ことを決める選挙制度を定め、一九九六年、台湾で初めての総統直接選挙が行われることになったのです。

中国はこの選挙に合わせ、「海峡九六一」と称される軍事演習を実施、ミサイル発射

実験を行いました。要するに、「台湾の選挙は独立を企図するものである」として台湾を脅し、「民主化を推進する李登輝を選べば軍事統一もあり得る。親中派の候補を選べ」というメッセージを台湾人に送ったのです。しかしこれは全く逆効果となり、李登輝さんは過半数を超える得票を得て、総統に選出されました。

実はこの時、大慌てしたのが香港であり、日本でした。香港の人々は、中国への返還が決まっていた自分たちの将来に不安を覚えたのでしょうし、日本人の多くは、「すわ戦争か」と台湾旅行をキャンセルしていたのです。

ついでに言えば、当時日本の首相だった橋本龍太郎は、「公海上の訓練だから法的に問題ない」などと言って中国にすり寄っていましたが、不見識もいいところです。

私はと言えば、「どうやら中国が軍事行動に出るらしい」という情報を得て、あえて台湾に帰りました。「ミサイルが撃ち込まれる時にこそ台湾にいたい」「祖国の置かれた状況を目の当たりにしなければ」と思ったからです。危機が迫っているときこそ、国家とともにありたいと考えてのことでした。

そうして中国の文字通りの「援護射撃」もあり、当選した李登輝さんは行政改革、民主化にまい進し、二〇〇〇年の選挙では民進党の陳水扁が総統に就任しました。私も国策顧問に任命され、二〇〇六年までその職務に当たりました。

「金美齢は『中華民国』の国策顧問のくせに『中華民国』を否定し、台湾、台湾と言っている」などという批判もありましたが、もとより私は「台湾の国策顧問」だと自称していました。

この頃、小林よしのりさんが出版した『新・ゴーマニズム宣言SPECIAL 台湾論』（小学館）が台湾で翻訳されて大騒動となり、私は「台湾派」として戦いの矢面に立つことになりました。外省人、つまり国民党系の中国人からの反発はものすごく、時には生卵までぶつけられましたが、この騒動はいわば「台湾人が台湾人としてのアイデンティティを持つことで、国民党支配の正当性が揺らぐことに対する恐怖感」のなせる業だったのでしょう。

二〇〇八年には国民党の馬英九に一度は総統の座を明け渡しましたが、その後は民進党の蔡英文が二度にわたって、台湾国民からその立場にふさわしいと選ばれたのも、李登輝総統時代からのこうした流れがあってのことです。

■言葉も歴史も奪われた「台湾の悲劇」

台湾の被支配の歴史は、私個人の歴史とも密接に結びついています。

例えば、使う言語一つとっても、私が小さい頃家庭で使っていたのは台湾語でした。小学校に上がると日本語教育を受け、二、三年勉強した後は戦争が激しくなって学校は休校状態になりました。そのため、日本語教育はそこで中断。その後終戦を迎えて、大陸からやってきた中国国民党が台湾内を仕切り始めたために、今度は日本語教育や台湾語の使用が禁止され、中国語教育が始まりました。統治する体制が変わることで、使う言語も変化してしまったのです。

そのため、私たちの世代の台湾人の多くは、台湾語も、日本語も、中国語もすべて中途半端で、日常会話程度ならどの言語でもできますが、本の執筆や政治的な発信となると、できる人は限られてしまったのです。ある時期まで台湾人の意見が国際的に浮かび上がってこなかったのは、この「言葉の悲劇」ゆえと言ってもいいでしょう。

歴史教育についても同じです。日本統治以前は学校教育はありませんでしたから、限られた子供たちが私塾に通って読み書きを習うくらい。日本統治時代に津々浦々に学校を作り、台湾の識字率が一気に上がったのは日本の功績でした。しかし歴史は学んでおらず、読み書きそろばんがせいぜいでした。

また、中国国民党支配になってからは、日本統治時代を悪しきものとし、「台湾人でも日本人でもなく、中国人である」ことを刷り込む教育が行われるようになりました。中国大陸の「五千年」の歴史ばかり教わり、台湾の土地に中国の省や都市の名前を付けていたくらいです。これによって、台湾人としてのアイデンティティを消し去ろうとしたわけです。

しかし当然のことながら、中国大陸の先人の話をされても自分たちの先祖や先輩だとは思えない。例えば祖父母の世代が清の時代に大陸からやってきたというルーツがあったとしても、両親が台湾生まれの台湾人であれば、意識は台湾人ですから当然です。

私の世代で言えば、日本語教育と同時に日本語の本がたくさん台湾に入ってきました。読書が好きだった私にとっては、大陸中国の英雄たちよりも、日本語の本に登場する織田信長などの歴史上の人物の方が近しい存在でした。

台湾には蒋介石の大きな銅像などが歴史的な建造物内に設置されていますし、外省人を中心に彼を「中華民国建国の父」や「英雄」などととらえている人もいるでしょう。しかし私は全くそうは思っていません。あくまでも、大陸からやってきた征服政権にすぎず、台湾にとって功績や恩恵と言えるようなものなど一つもないからです。

台湾で本当の台湾の歴史を教えるようになったのは、李登輝さんが総統になって『認識台湾』という歴史教科書を作ってからです。この教科書では、一時台湾で行われていた「日本時代を忘れよ」とする悪しき教育を是正し、日本統治時代の正当な評価を含む台湾の真の歴史を教える内容になっています。

■「私が台湾の歴史と伝説になります」

歴史といえば、以前こんなことがありました。西尾幹二氏が『国民の歴史』（扶桑社）を書いて大ベストセラーになっていた二〇〇〇年前後のことです。埼玉県内の会場で二千～三千人が集まって集会を開き、私も壇上に上がりました。

最後にフロアから手が上がり、若い男性がこう述べたのです。

「台湾には何の歴史もない、文化も伝統もありませんね。建国の礎となる神話もありませんし……」

私はそれを聞いて、即答しました。

「歴史、伝統、文化、神話を持つ民族は幸せです。よって立つ基盤が確固として存在するのですから。しかしだからといって、歴史も神話もなくても、国を新しく作ってはいけないという理屈はありません。私が台湾の歴史と伝説になります」

男性の言ったことはある意味ではその通りなのです。台湾の歴史とは、四百年におよぶ植民地の歴史であり、それは「台湾の悲哀」と表現するほかありません。言葉と歴史を奪われることは、アイデンティティを奪うことと同義だからです。

台湾では蒋介石がやってきてから、日本統治時代の歴史は否定され、台湾語も日本語も禁じられ、台湾人はほとんど強制的に北京語の常用を強いられることになりました。日本統治時代に対する評価も世代によってまるで違ってしまい、その意味での断絶も台湾の人々の間に生じてしまいました。

李登輝さんが民主化を進める前の教育を受けた人たちは、日本語世代に対して冷たく、日本統治時代にも否定的です。そして中国人的なメンタリティを持っており、戦後の日本に対してはともかく、「日本帝国主義」には否定的で、そういう意味では「反日的」です。

家庭や生活の場面では、「日本精神」が生きていても、一歩外に出れば「中国式」がまかり通る。そうでなければ台湾の社会で外省人と渡り合っていけないという、非常に複雑な状況があったのです。

さらには二・二八事件後の白色テロ・戒厳令下で、知識人を中心に三万人近くが虐殺され、遺体がさらされたのです。まさに「中国人」の手による、文化大革命の前哨戦のようなものでした。

そのため、台湾人には「政治的主張は控えなければ立場も生命も危ない」という態度まで刷り込まれてしまった。「台湾」という言葉すら禁句になり、台湾のためにとか、台湾とは何かと考えることすら禁じられ、政治的発言をしないことに慣れてしまった。政治はもちろん、新聞やテレビなどのメディアも抑えられ、台湾人は「抵抗しても無駄だ」と思い込むようになりました。すべては、中国人による政権が、台湾人が一つになり、声を上げることを防ぐためにやったことです。

そのため、台湾人は長らく自分たちの言葉で、自分たちの歴史や思いを主張することもできませんでした。日本語、台湾語を使ってきた台湾人は、いきなり北京語を強要されてもうまく話せない人が大半でしたし、中国人に北京語でまくし立てられて勝てるような人もいませんでした。それらすべてが「台湾人に生まれた悲哀」と言うべきものなのです。

しかし台湾人は、何とか自分の足で立とうとしている。「私が伝説になり、歴史になる」――私のこの一言には、そうした思いが詰まっているのです。この場ですぐに切り返せたことにも、また私自身が台湾の歴史を作るうえで少しは貢献できたのではないかということについても、私は誇りを持っています。

そして、私が発言することで「日本人が忘れている文化も歴史も神話もある国に生まれたことのありがたみ」を日本人にも、訴えられるのではないかと思うのです。

■一人ひとりの「声」が歴史を形作っていく

二〇一六年のことです。蔡英文さんが初めて総統に選出され、私も台湾で選挙の趨勢を見守っていました。そして高雄で講演を行い、台北に戻ってホテルにチェックインしようとすると、四十代の台湾人男性が近寄ってきて、いきなりプラチナカードをホテルのフロントに差し出したのです。

「金さんの会計は、これでやってください」

私は驚きました。話を聞いてみると、「あなたは台湾のために献身的に尽くしてくださった。だからこれくらいはさせてください」と言うのです。すでに料金は払っていましたし、気持ちだけ頂いて支払いは丁重にお断りしました。

翌朝、その男性は再びホテルに現れ、私が日本へ帰るのを見送ってくれたのです。

この時、私は自分のやってきたことが、確実に次世代に伝わっていることが分かり、うれしく思いました。全く知らない人が、私の人生を評価してくれたのですから。

二〇二〇年の総統選の時にはこんなこともありました。定宿にしている台北のシャーウッドホテルで朝食を食べていたところ、中年のジェントルマンが声をかけてきたのです。彼はこう言いました。

「私とあなたは思想的には違うけれど、あなたのことはリスペクトしています」

聞けば相手は大陸の人で、中国人としてのアイデンティティを持っている。台湾と中国の関係についても、私とは考えが違うでしょう。それでも、思想の違いや立場の違いを超えて、リスペクトしていると声をかけてくれる人がいる。これもまた、私がこれまでやってきたことの結果だと感じました。

私はかねて、ものを言える立場にある人間は自分の意見を表明するべきだと考えてきました。「ノーブレス・オブリージュ（高貴なものの果たすべき義務）」とまでは言いませんが、仮に身の危険や不利益があっても、国家のため、国民のために声を上げなければならない時があるのです。

私だけではありません。台湾独立派の多くの仲間たちが、世界各国で台湾の地位について声を上げてきました。留学生としてアメリカに渡った人も、ヨーロッパに渡った人たちもいます。彼らはその先々で、台湾について発信をし続けた。

民主化したとは言っても、三分の一は外省人、つまり中国人がいるのが台湾です。民主主義を重んじる気持ちのない、むしろなくすべきだと考える中国人的な発想を持つ人たちをも巻き込んで、「民主主義国家・台湾」を運営していかなければならない難しさはこれからも続くでしょう。今なお、台湾は厳しい状況に置かれていますが、こうした人々の行動の積み重ねによって、今日の台湾があることを考えれば、台湾はもう後戻りすることはないだろう、と私は考えます。

■理解されていない「台湾」の国際的地位

李登輝から陳水扁、そして蔡英文政権へと、台湾の民主化はずいぶん定着してきました。しかし、台湾の国際的な立場については、多くの人にまだまだ理解されていない面があります。日本でも日台の歴史的な結びつきは近年ようやく知られるようになってきましたが、日本政府をはじめ、国際社会が台湾をどう扱っているのか、中国との関係はどうなのかという点について、広く知られているとは言いがたい状況です。

ガイドブックや雑誌の旅行特集には「台湾」と書かれているのに、世界の国名一覧を見ても「台湾」という国名は掲載されておらず、「中華民国」や「台湾という地域」として扱われています。なぜこういう状況になっているのか、台湾に好意的な日本人でも、こうした歴史的経緯や、現在置かれている立場について、きちんと説明できる人は少ないのではないでしょうか。

台湾の正式名称は現在のところ「中華民国」ですが、新聞報道などを見れば、朝日新聞でも産経新聞でも「台湾総統選」と書かれています。

また、スポーツなどの国際試合では、台湾代表チームは「チャイニーズ・タイペイ」という名称を強いられており、「中華民国」でも「台湾」でもありません。これもおかしな話で、確かに首都は台北ですが、台湾代表選手には当然のことながら台南、高雄といった台北外から来ている選手もいますから、実態とは全くあっていません。

どうしてこんな状況になっているのか。これは蔣介石の罪です。

大陸中国で国民党政権として中華民国を建国した蔣介石は、一九四五年十月、敗戦した日本の武装解除をすると言って台湾に手を伸ばしてきました。そして台湾を中国の領土に編入すると宣言。その後、毛沢東との国共内戦に敗れると蔣介石政権は大陸の領土を失い、台湾に逃れてきました。そして大陸では一九四九年に中国共産党によって中華人民共和国が建国されます。

それでも中華民国は当初、国際社会からは「戦勝国となった中国」として認められていましたが、一九七一年、アメリカのリチャード・ニクソン大統領が中華人民共和国を「中国を代表する国家」として認め、中華人民共和国の国連入りまでが認められると、蔣介石はこれに抗議し、国連から脱退。ここから台湾は国際社会の孤児への道をたどり始めることになりました。

■蔣介石のエゴが台湾を「世界の孤児」にした

一九七〇年当時、総理を退任した後の岸信介は台湾に何度も足を運び、蔣介石に「中華民国と中華人民共和国、どちらを取るかと国連に迫れば、こちらが当然分が悪い。であれば中華民国の旗を降ろし、『台湾』として中国とは別に国連に登録すれば、同時に加盟できる。それが台湾の生き残る唯一の道だ」と説きました。しかし蔣介石は自分のエゴを優先し、「自分は中華民国の終身総統だ」と言い張って、中華民国の旗を降ろさなかったのです。

日本は一九五二年、日華平和条約により「中華民国」との国交を回復し、総理大臣兼外務大臣となった岸信介や佐藤栄作が総理時代に台湾を訪問するなど、終戦で一度台湾を「捨てた」日本は、戦後の一時期には台湾との関係強化を図っていました。しかしニクソン訪中に衝撃を受けた田中角栄政権が中華人民共和国を「中国の唯一の政権」と認めたうえで「日中国交正常化」を行ったことで、台湾側は日本に断交を宣言。台湾は日本に二度捨てられることになりました。

一九七一年元旦に、朝日新聞は「われわれは、中華人民共和国政府が中国を代表する唯一の合法政府であり、台湾は中国領土の一部であって、台湾問題の処理は中国の内政問題である」と「宣言」していますが、日本政府ともどもその〝誓い〟を今なお踏襲し続けています。

その後、中国の台頭により、「中華民国」と国交のあった国々は次々に台湾との国交を断絶し、中国との国交を結ぶようになりました。そして今も台湾は国家として承認されず、国連はもちろん、他の国際機関にも加盟できずにいます。

中国の圧力を受け、「一つの中国」という政治的な理由を建前に、人々の衛生や健康管理といった命にかかわる情報を扱う組織であるＷＨＯ（世界保健機関）にも加盟できない状況が続いています。

二〇〇三年、中国広東省を起源とするＳＡＲＳ（重症急性呼吸器症候群）が流行した際、台湾は患者を発見するといち早くＷＨＯに報告したにもかかわらず、非加盟国であることを理由に専門家の支援を受けられませんでした。この時、台湾の加盟が審議されたものの、結局否決に至り、一九九七年以来、七回目の否決を受けていました。

二〇二〇年、中国の武漢から始まった新型肺炎の流行に際しても、中国の強い反対によって五月十八日の年次総会へのオブザーバー参加さえ認められませんでした。

しかも中国はますます力を増しており、カネや武力を背景とした国力をタテに、台湾と国交を断絶し、中国と結べと圧力をかけている。実際、国交は次々と断たれており、現在国交があるのはバチカン、ツバルの他、アフリカやラテンアメリカの数国など十五か国にすぎません。台湾はあの手この手で現在国交のある国々との関係をつなぎとめるのに必死になっています。

ただ、私はそれよりも、日本やアメリカ、ＥＵ（欧州連合）各国などとの交流を拡大し、深めるために労力を投入した方がいいのではないかと考えています。中国にいいようにされるのは気持ちのいいものではありませんが、事ここに至って「国交のある国の数」を競い、「『中国』の継承者としての正統性」を争うことにあまり意味はありません。

それよりも「台湾」として人的交流を増やし、親台派を増やすことは、実際の国交関係以上に台湾の力になるはずです。例えばアメリカとの間には国交はないものの、アメリカは「台湾関係法」を制定し、議会が台湾に最大限の保護を約束するとともに最大限の待遇を与えることを定めています。まさに取るべきは「名より実」なのです。

このように、台湾の立場は非常に複雑です。

そのうえ、台湾独立派は、「われわれは中国ではなく、さらに中華民国でもない」、という立場から「台湾」の独立を訴えているのです。

これまでも使ってきたうえであえて言えば、この「独立」という言葉自体、おかしいのです。先に述べたように、そもそも台湾は一度たりとも中華人民共和国の一部であったことはなく、最初から別の国。そのため、本来は「統一」も「分裂」もあり得ないのです。実際は「中国が台湾を侵略するか否か」の問題と、「台湾が『中華民国』の残滓を清算し、『台湾』として立つことができるかどうか」の問題がそこにあるだけ。つまり、「台湾独立」とはひとえに台湾の内政問題であって、本来中国との関係で語ることでは、ないのです。

端的に言えば、台湾の「独立問題」とは大陸から来た、そして実質的には消滅した蒋介石の「中華民国」政府ではなく、台湾人が台湾人の手で作った「台湾国」を名乗るべきだ、ということです。

国際政治を語る際に、「台湾問題の解決を」などと口にする人たちがいますが、こうした理由から、実際には「台湾問題」など本来存在しないのです。中国が台湾から手を退けば、すぐに〝問題〟は解決する。それを、「台中双方が折り合い、話し合わなければならない」かのような構図にはめ込もうとするのは、中国の術中にハマっているとしか言いようがありません。

■「『中華民国』のパスポートで台湾に帰りたくない！」

私が大陸からやってきた中国人（外省人）による政権の名前に由来する「中華民国」を認めていないのはこうした理由からです。私の夫の故周英明も、同じ理由で「中華民国のパスポートで台湾に帰るのは絶対に嫌だ」と言い張って抵抗していました。

二〇〇〇年三月、民進党の陳水扁が総統に選出されたときのことでした。

この頃、私たち夫婦はブラックリストからすでに除外されている——という情報が風の便りで私たちのもとにも届いていたにもかかわらず、夫はパスポートの国名が「中華民国」であることを理由に、頑なに台湾に帰ることを拒んでいました。

私は選挙前から「李登輝さんが総統になり、ついに政権交代が起こって民進党の陳水扁が総統になれば、台湾独立の最前線は日本から台湾に移る。今こそ日本からだけではなく、台湾に行って、独立を叫ぶべきだ」と言いました。

しかし周は「あなたは正しい」と言いながらも、「それでも僕は、『中華民国』のパスポートで帰国するのは嫌だ」と断固拒否したのです。

結局、選挙中も私だけが台湾に戻り、周は留守番。陳水扁の勝利が確定し次第、周に電話しようと考えていたところ、私たちの友人である蔡焜燦さんが一足早く、周に電話を入れていたのです。「陳水扁が勝ちそうだ、台湾に帰ってこい」と。

それでも周は抵抗したようですが、蔡さんが一言、「おまえ、ごちゃごちゃうるさいことを言っていないで、台湾に帰ってこい」と言うと、周はボロボロと涙をこぼし、

「帰ります」と一言返事をしたのです。

このやり取りには、国民党政権や中華民国そのものに対する周の反発心と、台湾独立への思い、祖国への愛があふれている。私も思い出すだけで、いまだにこみあげる思いがあります。

そして周は実に四十年ぶりに祖国・台湾に帰ることができました。しかも蔡焜燦さんは自ら音頭を取って「周英明・金美齢の帰台を歓迎する」という大パーティを開催したうえ、翌日には李登輝さんに会う機会まで作ってくれたのです。

台湾独立に一身を捧げてきた私たち夫婦にとって、この帰国は本当に大きな出来事でした。何が何でも「中華民国」を受け入れたくなかった周の気持ちもよく分かります。

李登輝さんにしても蔡英文にしても、公式には「中華民国」の総統です。総統府には中華民国の国旗である青天白日満地紅旗が翻り、政府の公式の式典でも掲げられるのは中華民国旗です。

本来は台湾という国名で、台湾の旗を掲げるべきだと思っていますが、私は今は黙認するという態度を取っています。夫のように「絶対に嫌だ」と突っ張っていると台湾に帰れないし、公式行事にも参加できないからです。

今は過渡期だと考えて、現実的に判断してある程度は仕方ない、と前向きな妥協をしています。これも「名より実を取る」ということにつながりますが、柔軟な姿勢を取っても根本精神は揺るがないという私の姿勢を貫いたものなのです。

■今も台湾は「中華民国」のまま

先に述べたように「天然独立派」と言われる若者たちが、台湾人としてのアイデンティティを備えるようになってきた以上、近年のオリンピックや国際的な行事や国際機関への参加時に「チャイニーズ・タイペイ」と名乗ることを強要されることは、台湾人にとってこれまで以上に苦痛をもたらすことになります。

かねて台湾人は「中華民国ではなく台湾という名称で参加させてほしい」という要望を国際機関に訴えています。こうした台湾人の思いを取りまとめる「正名運動」があり、私も台湾で行われたデモの先頭を歩いたことがあります。

そして近年は、日本人の側からも「台湾は台湾という名称にすべきだ」「国際会議や国際大会の場では、『台湾』という名称を使うべきだ」という要望が、心ある人々によって訴えられています。

そうした動きに強い追い風となるような出来事がありました。安倍総理は二〇二〇年一月二十日、衆参両院の本会議での施政方針演説で、「台湾」という名称に言及したのです。

〈本年、釜石は、オリンピック・パラリンピックに際し、オーストラリアのホストタウンとなります。岩手県野田村は台湾、福島県二本松市はクウェートなど、二十九の被災自治体が、支援を寄せてくれた人々との交流を深めます。

心温まる支援のおかげで力強く復興しつつある被災地の姿を、その目で見て、そして、実感していただきたい。まさに「復興五輪」であります〉

この安倍総理の「台湾言及」には、議場から大きな歓声と拍手が起きたと言います。

これに対して蔡英文総統はツイッターで、日本語で次のようにつぶやきました。

〈「台湾」という言葉が日本の国会で大きな拍手を浴びたのは実に嬉しいことです！〉

〈20以上の自治体が台湾選手のホストタウンを希望したと聞いています。我々も日本に

てトレーニングし、競技に参加できるのを楽しみにしています！〉

ここまでの良好な関係がありながら、日本は中国との関係を理由に、台湾を台湾という「国家」として認めていません。これほどの親日国家をソデにして、日本への敵意を持っている中国におもねるような行動はもうやめるべきでしょう。

■「stand by Taiwan」の声を上げ続けよ

台湾の歴史を台湾人自身が巻き戻してしまうことは今後、絶対にないだろうと私は信じています。しかし一方で、中国は「建国から百年を迎える二〇四九年までに、台湾を〝統一〟する」と事実上、宣言しています。

私はかねて台湾人としての立場から「日本は台湾の生命線である」と言ってきました。しかし日本人になった今、「台湾は日本の生命線でもある」とも言っています。台湾が中国に「併合」されれば、中国の太平洋への入り口がぽっかりと空くことになる。日本の安全保障環境にとっては脅威です。かつて中国はアメリカに「太平洋を東西で分割し、米中で支配しないか」と持ち掛けたことがありますが、台湾を中国に抑えられれば、この悪夢が現実となるのです。

二〇〇四年、陳水扁が総統に再選された選挙時に私は選挙事務所を訪れました。その際、香港から来たという紳士が、こんな話を私にしてくれました。

「台湾の選挙の行方に強い関心を持って見に来ました。台湾が頑張ってくれなければ、香港はひとたまりもありません。中国は台湾が手に入らないうちは香港に対しても手加減していますが、台湾乗っ取りが成功すれば、香港の一国二制度は間もなく有名無実になるでしょう」

つまり、香港から見れば、台湾は「最後の砦」というわけです。

しかも日本にとっても台湾は「最後の橋頭保」なのです。台湾は日本にとって、対中防衛の最前線であり、防波堤でもあります。台湾のためだけではなく、国際社会の安定と平和のために、台湾が中国に「NO」と言い続けられる状態を保てるよう、エールを送ってほしい。

台湾は日本に二度捨てられました。一度目は終戦時。そして二度目は日中国交正常化が行われたときです。しかし中国が台頭し、台湾制圧、さらには南シナ海や東シナ海、沖縄にまで勢力を拡大しようという意思を明らかにしている今、日台は「運命共同体」であることを意識する必要があるでしょう。日本が台湾を三度捨てる日は来ないと信じています。しかし万が一、そのようなことが起きれば、その時は台湾だけでなく日本も中国に飲み込まれることになるのです。

爆買いや民泊で利益を落とすからと中国人観光客に媚びを売ったり、ビジネスという目の前のニンジンにつられて危機感を失えば、中国は必ず付け入ってきます。台湾はそのことを嫌というほど理解したからこそ、絶対に中国に屈しない蔡英文を総統に選んだのです。

日本も中国に屈してはならない。そして、日本は「台湾とともにある」「stand by Taiwan」と声援を送り続けることが、日本自身をも救うことになるのです。

第4章　日台黄金時代の到来

李登輝総統の自宅を訪問。右端が夫・周英明

■黄金期を迎えた日台と、二人の「強いリーダー」

日台はここ数年、黄金期を迎えています。二〇一二年末から安倍晋三が総理になり、二〇一六年五月から蔡英文が台湾総統に就任。親台派と親日派のリーダーが同じ時期にそれぞれの国のトップを担っている。このことは、台湾と日本という「二つの祖国」を持つ私にとっては実に喜ばしいのです。

しかも私は、政治家としての安倍晋三と、政治家としての蔡英文をかねてより応援してきました。二人の共通点は「威張らない、裏切らない、逃げない」。信念を持ち、いざというときに戦う勇気がある。これは政治家にとって最も大事なことです。

安倍総理との縁は、実は安倍総理自身に会う前から始まっています。

一九五九年、私は当時の岸信介総理、つまり安倍晋三の祖父が台湾で座談会を開催したときに、台湾側の通訳を務めました。通訳を終えた後、岸さんは私に「日本語がお上手ですね」と声をかけてくれました。「妖怪」などと言われていた岸さんでしたから、お会いするまでは緊張していたのですが、実際の岸さんはとても良いお顔をされた気さくな方でした。

岸さんは台湾との関係強化に力を入れており、何度か台湾に足を運んでいましたし、話しぶりからも、岸さんの台湾を大切に思う気持ちがよく伝わってきたのを覚えています。そして、その思いは、安倍総理にも受け継がれているのです。

私は、岡崎久彦さんや渡部昇一さんが主宰する勉強会に参加していましたが、この会に当時若手議員だった安倍晋三さんも参加していたのです。当時から彼は将来を見据え、様々な方の意見を吸収しようと考えていたようです。

二〇〇六年、就任後の総理がこの勉強会のメンバーを官邸に招待したいと考えたところ、どうも外務省から横やりが入ったようです。「台湾独立運動家でブラックリストに入っていた金美齢を官邸に呼ぶとなれば、中国から何を言われるか分からない」と。

しかし安倍さんは「金さんだけ呼ばないなんてことはできない」と言って一蹴し、私を官邸に招いたのです。もちろんこれは、私と総理の個人的な関係性からのみ行ったものではなく、安倍総理が台湾との関係を重視しているからこそ、横やりを押し切ったのです。

外務省の横やりを一蹴することで外務省チャイナスクールをけん制すると同時に、中国に対しても「あなた方に忖度して台湾の人間を排除するようなことはありません」と示す態度でもあったのです。

台湾との関係では、中国の意向を忖度し先回りしておもねるような政治家も多い。私とそれまではよく会っていたのに、要職に就いた途端、あからさまに距離を取るようになった政治家もいました。その中で、安倍総理の政治家としての気骨、そして台湾を裏切らない姿勢は本物だと感じるエピソードでした。

■徹底的に朝日新聞を批判した安倍晋三

何より安倍総理は「戦う政治家」です。例えば二〇〇三年、当時官房副長官だった時には、拉致問題に関する朝日新聞の「安倍批判社説」に真っ向から反論する記事を『週刊文春』に書いています。拉致問題という北朝鮮の理不尽な仕打ちに対し、「落としどころ」を探るべきだとする朝日新聞を鋭く批判したのです。

朝日新聞がまだまだ強い影響力を持っていた頃ですから、こんな風に反論すれば朝日新聞がどれだけ恨みを募らせるか分かったものではありません。実際、朝日新聞はこの三年後に総理になった安倍さんを、これでもかとばかりにたたきまくった。しかしそれでも、安倍さんは朝日批判を徹底し、ひるむことはありませんでした。

メディアにおもねらないその姿勢は、日本の政治家に久しく欠けていたものでした。だからこそ私は、安倍総理が第一次政権を一年で退陣した後も彼を応援し続けたのです。「A friend in need is a friend indeed.」という言葉があります。「困ったときの友こそ真の友」という意味ですが、第一次政権後の安倍さんの周囲からは人々がサーッと引いていきました。権力とはそういうものかもしれませんが、人間的には間違いです。私は安倍晋三は裏切らない政治家だと知っているからこそ、私も彼を支え続けました。

果たして、安倍さんは二〇一二年再び宰相の座に返り咲きました。総理を退いてからの五年間は体調不良もあり、またそれまで取り巻いていた人たちが離れていくなど、どん底の日々を送っていた総理ですが、この経験が安倍総理を成長させた。

私があるとき、安倍総理に「だいぶ成長しましたね」とつい軽口をたたいたところ、総理は笑って「ご指導よろしきを得て」と仰ったのです。第一次政権の時の悲壮感とは違い、第二次政権時の安倍総理はいい意味で肩の力を抜いたスタンスで政権運営に臨んできたように思います。歴代最長政権になったのも、挫折経験を乗り越えた安倍総理だからこそなのでしょう。

■中国からの圧力にも絶対に退かない蔡英文

蔡英文さんも、「威張らない、裏切らない、逃げない」政治家です。彼女は政治家になる前、李登輝さんのブレーンを担うシンクタンクで学者の立場で研究員をしていました。当時はまだ政治家ではなかったけれど、政治的に台湾の立場からものを見て、台湾の将来について真剣に考えてきた、ブレない精神の持ち主です。

クリーンで賢くて、台湾を愛する蔡英文も、圧力を受けても絶対に退かない。

二〇一六年五月、珍しく朝日新聞に、〈蔡英文と台湾〉と題するシリーズが掲載されました。その第一回では、二〇一六年の総統選挙投開票日の前日、蔡英文が選挙集会会場の最前列に座った台湾独立派の老革命家・史明に涙ながらに手を振った、というエピソードが紹介されていました。

史明は当時九十七歳。二〇一九年に百歳で亡くなるまで独立運動家として波瀾万丈の人生を送ってきた人物です。史明は日本統治時代から台湾の独立を目指し、一度中国に渡ったものの、その現実に絶望。戦後、台湾に戻りましたが、国民党支配の現状を覆すべく日本に亡命して独立運動を続けてきたという筋金入りの独立論者です。

私も面識があり、独立運動を行う中で資金の援助をお互いにしあったり、周英明と結婚したときには、私の親代わりに結婚の保証人になってもらったほどのお付き合いがありました。その関係性は、「台湾独立」という同じ目的のために突き進む同志としての信頼感によって成り立っていたのです。

そんな史明を前に、蔡英文は選挙集会の壇上で、こう述べたそうです。

「台湾人として感謝しなければならない。おじさん（史明）の言いたいことは分かっている。台湾の総統は気骨を持ち、強靭でなければならない、と。台湾の苦境を前に私は絶対に屈しない」

独立運動を続けてきた私たちは、三十年余り、親にも会えず故郷にも帰れない状況下で、台湾独立の苗を植え続けてきた。その結実が、蔡英文総統の誕生によって収穫期に入ったのだと実感するエピソードでもありました。

蔡英文はクールで理知的な学者の一面を持つ一方で、独立運動家を前に涙を見せる熱い一面も持っています。そして、政治家としてのアピール力や明るさも育んできました。彼女の振る舞いに感心したのは、二〇〇九年十二月に日本の外国人記者クラブで行われた講演を聞いたときのことです。当時彼女は野党の党首として来日しました。

彼女はこの時、英語で流暢なスピーチを行いました。前もって用意してくるとはいえ、原稿にほとんど目を落とすことなくスピーチを終えると、その後の質疑応答も難なくこなしたのです。

蔡英文の隣にはいざというときのヘルプのために通訳が控えていましたが、彼女を介することなく、その場の即興の質疑に完璧に返答したのです。センシティブな質問にも表現と言葉を選び、ほとんどパーフェクトの受け答えをしていたことに、私は英語の教師として本当に感心しました。

その後の会合で隣に座ることができたので、「あなたの英語、素晴らしかったわよ」と声をかけると、彼女は会合参加者への挨拶のために壇上に上がるなり、こう言いました。

「聞いてください！　英語の先生に英語を褒められました！」

その場は大いに沸きました。蔡英文は「真面目すぎる」などと言われたこともありましたが、こうした機転の良さ、明るさ、茶目っ気も発揮するようになってきた。これは蔡英文が政治家として成長したからこそでしょう。

■「筋金入りの独立派」が蔡英文を応援する意味

蔡英文はソフトな雰囲気を持っていることもあってか、台湾独立派からは「やり方が生ぬるい！」「もっと中国に強く出るべきだ！」などと言われがちです。また同性婚を認めたことなどで、台湾の保守派から批判されたこともありました。

事実、今回の選挙でも蔡英文が再選をかけた総統選挙前に行われた地方選で大敗を喫したこともあり、「蔡英文を民進党の代表から降ろして、行政院長経験者の頼清徳を出すべきだ」と考える人たちもいました。しかし私は途中で蔡英文を降ろすのは間違いであり、「政権の簒奪《さんだつ》になる」として猛反対しました。

頼清徳も昔からの知り合いで、私の新宿の事務所にも何度か訪ねてきています。彼も台湾独立派で、若くてイケメンでもあるのですが、その時は「今」ではない。こうした動きを察知して、私は頼清徳にはっきりこう言いました。

「あと四年、蔡英文を何としてでも支えるべきだ。そのあとあなたがリーダーになるのは間違いないのだから」

こういうことをはっきり言うのも年寄りの役割というものです。

■安倍晋三と蔡英文の「縁」

口に出すことは大事なことです。

私は台湾国籍で日本の選挙に投票権を持たない時から、日台関係に熱心な日本の政治家を応援してきましたし、日本国籍を取って台湾での投票権を失ってからも、台湾の選挙にコミットし続けています。もちろんそれぞれのときで、それぞれの立場をわきまえながらですが、私にとって最も大事な「日台関係」を良好にする考えを持っている政治家を応援するのは当然のこと。

これは安倍総理に対する姿勢と全く同じです。安倍支持を言っただけで、評論家のくせに偏っているとか、権力におもねっている、お友達だアベ友だ、などと大騒ぎする人が後を絶ちません。しかし、応援していた友人が総理になっただけのことで、権力を持った人とお友達になったのではありません。

「有権者である自分たちの力で、政治家を育てる」「やってほしいことを要求するだけではなく、応援する」という意識が低い日本だからこそ、こうした的外れな批判が行われるのでしょう。

幸いなことに、安倍総理と蔡英文総統の関係も良好です。

蔡英文が総統に就任する前年の二〇一五年、蔡英文は安倍総理の弟である岸信夫氏と一緒に、安倍総理の故郷である山口県を訪れました。

また、二〇一六年一月に蔡英文が台湾総統に選出されると、安倍総理はこんなメッセージを送っています。

「台湾は日本の古くからの友人だ。自由な言論の上に、選挙でリーダーを決める総統選挙は台湾の自由と民主主義の証と考える。蔡英文氏の勝利に対し、心から祝意を表明したい」

さらに六月三日には蔡英文が台湾で四十五年ぶりに行われたＮＨＫ交響楽団の台北公

演に、安倍総理の母・安倍洋子さんを招待。貴賓室での会談の後、二人並んで音楽を楽しんだと報じられています。

六月九日には、台湾の大使館に当たる台北駐日経済文化代表処の代表として、京都大学大学院に留学経験のある謝長廷が代表に就任。彼は民進党台日友好協会の初代団長を務めたまぎれもない親日派です。

そして二〇二〇年一月、蔡英文が総統に再選されると、再び安倍総理はいち早く祝辞を送りました。前回も今回も、中国は懸念や不快感を表明しましたが、安倍政権はこうした圧力には屈しませんでした。

安倍総理と蔡英文総統は、折に触れてツイッターなどでお互いにメッセージを送り合うようになり、心ある多くの日本人はそのやり取りを強く支持しています。

こうした交流が、正式な国交のない日台関係には非常に重要なのです。

■「Thank you!」と言ったトランプ大統領

大国となった中国に相対するには、台湾一国では不可能ですし、日本でさえも「一国平和主義」はとうに限界に来ています。安倍・蔡という日台のリーダーが、中国の脅威に関して共通の認識を持つのは当然のことでしょう。そのことをよく理解している日台のリーダーの〝連携〟が、私にとっては実に頼もしいのです。

しかし日本のメディアや野党、世論の大半は中国に対する危機感が希薄です。台湾や香港があれだけ強く「中国化」に反対する声を上げているのに、我が事とはとらえていない。尖閣に対する領海侵犯が続いても、メディアは「中国と仲良くしなければならない」の一点張りです。

それどころではありません。アメリカの衰退を前に、「これからさらに強大化する中国との同盟もあり得るのではないか」などという妄言が、朝日新聞に載る始末です。

さすがにウイグルやチベットでの中国の圧制を人権の観点から批判する記事もちらほらと出始めてはいますが、中国共産党、そして中国人に対する警戒感が決定的に欠けていることには唖然とさせられるばかりです。

もちろん、かつてとは比べものにならない力を備えてしまった中国を表立って敵に回せば面倒なことになりますから、時には「習近平を国賓として招く」など柔軟な姿勢を見せる必要もあるのでしょう。しかしそれは、例えば民主党政権時のような「土下座外交」とは全く異なるものです。

この点、蔡英文総統も非常にうまく舵取りをしています。武力を使ってでも「台湾統一」を成し遂げると鼻息荒く宣言した習近平は、その口実を求めています。蔡英文がひとたび習近平に何らかの口実を与えるようなスキを見せれば、中国は一気に台湾に襲い掛かってくる。蔡英文の本心を理解し、一方で中国の情勢ややり口をも知っておかなければなりません。

二〇一九年には、日台の輪にドナルド・トランプ米大統領まで巻き込んでしまいました。これは全く偶然だったのですが、偶然も力に変えていくことが重要です。

トランプ大統領は二〇一九年五月に国賓として来日した際、東京の両国国技館で大相撲観戦をしました。私はたまたまその日、作家の門田隆将さんに招待されたのですが、なんと席がVIPの出入り口の横だったのです。安倍総理が国技館の場内に入ってきたときに声をかけたので、私がいた場所が分かっていたのでしょう。トランプ大統領と退出するとき、安倍さんが私のことを大統領に伝えてくれていたらしく、大統領がこちらへ近寄って来ました。

そこで私は「I am from Taiwan. I am a friend of Tsai Ing-wen.（私は台湾から来ました。私は蔡英文の友達の一人です）」

大統領は「Thank you!」と応じ、このやり取りが台湾でニュースになったのです。アメリカの大統領が、古参の台湾独立派と言葉を交わす。この映像を見て、中国はどう思ったでしょうか。全くの偶然ですが、これも中国への「強烈な一突き」になったはずです。

■「李登輝訪日」を阻止し続けてきた日本の政治家たち

中国の目を気にせず、台湾との関係を育むこと。安倍総理は気を吐き、折に触れて台湾との関係を重視していることを言葉や態度で示していますが、日本ではたったそれだけのことができない状況が続いてきました。

その象徴が、一九九〇年代以降の李登輝さんの訪日に関する問題です。

はじめは一九九四年の広島でのアジア大会。アジア・オリンピック評議会からの招待を受けた当時の李登輝総統が開会式への出席を表明すると、中国が日本に猛烈な圧力をかけ、評議会が招待を取り消すという醜態を演じました。

翌一九九五年、今度はＡＰＥＣ（アジア太平洋閣僚会議）の大阪会議が開かれましたが、台湾は正式メンバーであったにもかかわらず、首脳である李登輝総統の出席を拒否しようとしました。しかもその前年から日本政府（当時は村山富市首相・河野洋平外相！）が出席を否定し、李登輝さんが訪日を断念するよう働きかけるという醜態を晒したのです。

そして一九九七年、京都大学百周年の記念式典に参加したいと申し出た李登輝さんに対し、京大側は「李登輝は中途退学だから」という理由で参加を拒絶。背後に政治的な圧力があったことは言うまでもないでしょう。

二〇〇〇年には、すでに公職を退き「一私人」となっていた李登輝さんを「三田祭」という学園祭に招きたいと慶應義塾大学の学生が動き、李登輝さんも喜んでいたにもかかわらず、なんと時の河野外相が「李氏は影響力があり、必ずしも私人とは言えない」とけん制。結局、訪日は実現しませんでした。

二〇〇一年には、李登輝さんが持病である心臓病の治療のため、という人道的な理由で来日を希望したものの、当初日本政府はビザ発給を認めませんでした。理由は、日本の外務省が中国から断固反対の圧力に押されていたからでした。

さすがにこれには堪忍袋の緒が切れた日本人からも疑問の声が上がり、持病の治療という人道的理由であるにもかかわらず、李登輝さんの来日を認めない政府や外務省に対する非難の声は日本国内でも高まりました。「ぜひ、学園祭に李登輝さんを呼びたいのですが」と私のところに相談に来る若者たちも出てきたほどです。

当時私は行く先々で「人道的な理由であるはずなのに、李登輝さんになぜビザが出ないのか」という質問とも訴えとも取れる言葉を投げかけられました。私は当時、こうした質問が会場から飛び出したあるシンポジウムの席で、こう答えました。

「李登輝氏は、日本を愛し、日本を訪ねたいと以前から熱望しています。彼が引退した現在もし日本が彼の来日を拒否するというなら、日本は三流国です。

日本の国柄が問われています。それは一外務省だけの問題ではありません。日本人の皆さん一人ひとりの責任です。自分の国が一流の国でありたいのか、それとも他国の覇権主義の思いのままにされるような三流国でありたいのか、どうぞ肝に銘じて、今日の私の言葉を考えてください」

当時は、日本人の一部がようやく自虐的な思考に気づきつつあり「日本はこのままで本当に独立国として国際社会の荒波を渡っていけるのか」という疑問を持ち始めていたところでした。日台関係は、中国という国に対する土下座外交や忖度が果たして国益になるのか、日本は真の独立国家として、自分の意思で物事の軽重を判断できるのかを測るバロメーターにもなっていたのです。

そして外務省や一部政治家の「中国重視」の価値観が、いかに日台の友情や人道を重んじる多くの国民から後れを取っていたかが露呈した一幕でもありました。

その後も、李登輝さんを日本に招きたい人たちはめげずに声をかけ続けました。二〇〇二年、今度は経済新人会の若者たちが私を通じて李登輝さんを招待したいとやってきたのです。李登輝さんも快諾。しかし訪日計画が発表されると、またぞろ〝あの手この手〟で妨害工作が行われたのです。

その〝あの手この手〟は実に陰湿で、卑劣でした。まさに魑魅魍魎《ちみもうりょう》の跋扈《ばっこ》、といった次第で、中国からの圧力があったとはいえ、それにやすやすと屈し、中国のお先棒担ぎに甘んじた日本政府や外務省には怒りを通り越してあきれるばかり。当時私は「日本の皆さんにお尋ねしたい。李登輝さんが日本に何か悪いことをしたのでしょうか？」と書いたほどでした。

もう一つ付け加えれば、二〇〇二年八月、自民党の水野賢一議員（当時）が、訪台を阻止されたことを理由に外務政務官を辞任する〝事件〟もありました。「課長級以上の台湾訪問は内規違反」というのが外務省の言い分ですが、水野議員は外務省の対中迎合姿勢、事なかれ主義を激しく批判し、抗議の辞任をしたのです。この件は台湾でも大きく報道されました。

■「台湾」が認識された東日本大震災の支援

日台関係の深化はリーダーたちの関係だけにとどまりません。

民間レベルで日台交流の動きが加速したのは、二〇一一年三月十一日に発生した東日本大震災において、台湾が「日本加油（日本頑張れ）」と声援を送り、多大な支援を行ったことがきっかけです。

公式に言われているだけでも二百億円にも上る義援金が台湾から寄せられました。震災後、私は行く先々で「台湾の姉妹団体から驚くような額の支援を頂いた」「台湾の親族が『一刻も日本の役に立ててほしい』と一千万円以上を集めて渡してきた」という声も聞きましたから、あの時台湾から日本へ送られた支援の総額は、公式に把握されている額の何倍にもなるのかもしれません。

台湾の人口は二千三百六十万人。日本の五分の一程度です。いかに台湾の人々が日本に親しみを感じ、また大震災という苦難に心を寄せたか。この多大な支援に対し、日本からも台湾に対してお礼の声が届けられ、私のホームページにも「台湾の皆さんにお礼を言ってほしい」といった日本人の声が多数寄せられました。「台湾と言えば金美齢」と多くの日本人が思ってくれたことも、私にとってはうれしい出来事でした。

戦後長らく、台湾は日本に片思いをしてきました。こちらがいくら「日本と仲良くしたい」「協力したい」「過去のことも悪く思っていない」と呼び掛けても、先に挙げたように、日本は中国の反発を気にして台湾の声に応えることができなかったからです。

しかし震災の際、インターネットを通じて「日本加油」とばかりに盛んに声援を送り、これほどの額の義援金を贈った台湾人の思いに、ようやく日本人が気づくことになったのです。台湾と中国は全く別の国である、それは国家制度だけではなく民族的にも文化的にも違うのだということを、日本人が改めて認識した一幕でもありました。

しかし、市井の人々の心の距離は縮まっても、公式には外交関係のない日台の間では、それまで公の場で「台湾」という名前を出すことがタブー視される風潮はまだ残っていました。

それが台湾への東日本大震災支援に対する「お礼広告」で露呈しました。民主党政権下の日本政府は台湾から寄せられた多くの義援金を受け取りながら、菅直人首相の署名入りの「お礼広告」を台湾の新聞には掲載しませんでした。米英仏韓露中六カ国の七つの新聞には掲載したのにもかかわらず、です。台湾が寄せてくれた友情に対する礼儀すらなっていない、恥ずべき態度でした。そして、これは外交的に軽視されてしまう台湾人の悲哀を感じさせる出来事でもあったのです。

これはもちろん中国を慮ってのもので、これだけ言論の自由を謳歌できる日本社会において、なぜこうも台湾ばかりが粗末に扱われるのかという思いを、台湾人自身も持っていました。しかしその傷は、民間交流で癒やすことになりました。これに怒りを覚えた日本の民間人が資金を募り、交流協会を通じて感謝広告を掲載し、台湾人も大いに喜びました。いわば、「片思い」だった日本への思いが日本に通じ、相手からも返ってきた、戦後初めての出来事だったのです。

■若い世代が「日台関係」を築いていく

台湾からの「気持ち」は、日本の若い人たちを動かしています。例えば、麻布高校の学生たちは、台湾から多くの支援の手が差し伸べられたことにすぐに反応して、「修学旅行は台湾に行こう」と即決、即行動に移しました。

修学旅行先と言えば中国や韓国に行き、先の戦争について考えさせられ、ひどいケースでは中韓側の学生に謝罪するパフォーマンスまでが旅程に盛り込まれているものもあったと聞きます。そのうえ学校などの行政は前例を踏襲するため、旅行先を変えるのも一苦労。ある学校では、修学旅行先を変えるには視察を含めて三年はかかると聞かされたこともあります。

麻布高校の場合は違いました。学生たちの自治能力が高いため、学生が決めて、学生が実行する。たまたま担当の旅行会社の人が知り合いだったので、その方を通じて私が麻布高校に唯一、アドバイスしたのは、台湾で交流するカウンターパートとなる高校は、台湾の中でも優秀な生徒の集まるところを選んでくれ、ということ。麻布高校は東大生を多く輩出するエリート校ですから、交流先も台湾のエリートであってほしいと思ったのです。

その後も、麻布高校は台湾との交流を続けているようで、将来の日台関係は彼らの手でより発展していくのだろうと思うと、この先の日台関係にも希望が持てます。

震災後の二〇一四年に台湾の学生たちが中国との接近にＮＯの声を上げた「ひまわり運動」の際にも、日本から台湾を応援する声が届けられました。私が主宰していた「美齢塾」の塾生の一人は、日本のお菓子「ブラックサンダー」を百袋、台湾の学生たちに差し入れました。というのも、この時問題になっていた台中間のサービス貿易協定が、実際にはブラックボックス化していて実態が分からないものであったことから、「ブラックボックスを打ち破るのは、ブラックサンダーだ」という意味を込めたというのです。

ブラックサンダーは台湾では「黒雷神」と呼ばれて人気がありますが、日本では一つ三十円で買えるのに対し、台湾では百五十円もします。台湾への応援の声をこうしたユーモアにのせて届ける若者の試みは、台湾の若者にも届いたはずです。

また、この時ネットでも面白い現象が起きていました。台湾の学生たちが「退回服貿《トゥイフイフウマオ》（サービス協定を撤回せよ）」と叫ぶシュプレヒコールが「ほえほえくまー」と聞こえるといって日本で話題になり、インターネットにクマなどのイラストとともに「ほえほえくまー！」と書き添える画像や動画が多数アップされました。

ユーモアを交えてはいますが、こうした声は台湾の学生たちを応援するものです。サブカルチャーの面では日台の結びつきはこれまでもありましたが、文化だけでなく政治の面においても、日台の間には連帯ができつつあることを示したのです。

■安倍総理が史上初めて「台湾」に言及

民主主義という基本的な価値観に加え、文化も共有できる日台は、互いの存在を尊重し合っています。特に、国際的に孤立している台湾に、日本が「私たちは台湾を応援しています」という声を届けるのは非常に重要です。国際社会が見ている、応援してくれるとなれば、最前線で中国に立ち向かっている台湾人の力になる。特に中国という共通の脅威に対峙している日本からの声は、台湾にとっては力強いものになるのです。

かつての日台交流は、日本統治時代に日本語教育を受けた台湾人たちによって担われてきました。そして今は、その歴史の共有を礎《いしずえ》として築かれた、台湾の「新しい親日世代」と、日本の「新しい親台世代」がいて、互いの苦しいときに、互いに手を差し伸べ合っているのです。

実際、こうした民間交流や、国民の間の親台感情が高まる中で、政治が動きやすくなるという面はあるのです。

例えば二〇一五年、安倍総理は戦後七十年談話で歴史的に日本が迷惑をかけたという文脈でしたが「東南アジアの国々、台湾、韓国、中国」と「台湾」という言葉を政府の公式声明で使ったのです。日本の総理大臣が、「台湾」を国家として扱い、公的に表現したのはこれが戦後初めてのことでした。そしてこれを批判的にとらえる声は、国民の間はもちろん、メディアからもほとんど上がりませんでした。このことは、日本人にとって台湾の認識が変わりつつあることを物語っています。

中国が何を言おうと、それによってメディアがどう問題に仕立て上げようと、国民が「台湾は台湾でしょ」「中国に遠慮するのはおかしい」と感じるようになれば、こうしたことで政府を批判する声は燃え上がらなくなり、政府も遠慮なく「台湾」と口にできるようになっていくのです。

■安倍総理が「台湾加油」とエールを送った台湾東部地震

二〇一八年二月六日に起きた台湾東部地震の際は、日本側が台湾にエールを送りました。

発生直後から、日本では「東日本大震災の時の恩返しを」との声が多く聞かれ、安倍総理も自ら「台湾加油」と色紙に揮毫《きごう》する動画とともに、次のようなメッセージを台湾に送ったのです。

〈台湾東部で発生した大きな地震により、亡くなられた方々への御冥福をお祈りするとともに、被害に遭われた皆様に、心からのお見舞いを申し上げます。

東日本大震災では、古くからの友人である台湾の皆さんから、本当に心温まる支援を頂きました。決して忘れることはありません。そして、この、大切な友人の困難に際して、日本として、できる限りの支援を行っていく考えです。

現地では、夜を徹して、行方不明者の懸命な捜索・救助活動が行われています。日本政府として、すでに警察や消防などからなる専門家チームを派遣したところであり、全力を尽くして支援を行ってまいります〉

これに対し、蔡英文総統はツイッターで次のように返信しました。

〈安倍首相からのお見舞いは、まさかの時の友は真の友、まさにその通りです。このような困難な時の人道救助は正に台日双方の友情と価値観を体現するものだと思います。本日、日本から七名の専門家に人命探査装置を持って訪台して頂きました。このことが、さらに多くの被災者の救出に繋がることを望みます〉

私はこのやり取りを見て、深い感慨を覚えました。もちろん、地震は不幸な出来事です。しかし、この時日台は、まさに「真の友」になったのだと感じたからです。

台湾の人たちも、このやり取りに大いに沸きました。特に、安倍総理が「中華民国」

や、被害の大きかった「花蓮」という地名ではなく、「台湾」と書いたこと自体に大きな意味があったからです。

台湾東部地震に際しての安倍総理のメッセージは、台湾側の「片思い」に応えるものだったと言えるでしょう。

■男気ある阿部寛さんの台湾支援

台湾からの「恩」に報いたのは安倍総理だけではありませんでした。同年二月八日、台湾で行われたエアコンの発表会に参加した俳優の阿部寛さんの姿勢には感銘を受けました。

地震が発生した六日から台湾に滞在していた阿部寛さんは「つらく悲しい思いです」とのお見舞いと、現場で不明者の救出にあたるレスキュー隊員らに対して「大変だとは思いますが頑張ってほしい。一日も早く平穏な生活が戻ることをお祈り申し上げます」と労《ねぎら》いの言葉を述べたのです。

報道によれば、この時、現地のイベントスタッフからは「地震の話はちょっと……」

とたしなめられたそうです。「新商品のお披露目なのに、地震被害など縁起が悪い」と思ったのか、華々しい雰囲気に水を差されると思ったのかは分かりませんが、ずいぶん肝の小さい話。

対して阿部さんは「今この話をしないで、何を話せばいいんだ」と言ったといいますから、そのスケールの大きな姿勢に心から拍手を送りたい。さらには地元紙のインタビューに、次のように答えたといいます。

「東日本大震災の際、台湾の誰もが日本に多くの支援を与えてくれました。日本人は台湾に感謝しています」

それだけではありません。阿部さんは、イベント終了後には、一千万円を台湾に寄付すると述べ、後日、台北駐日経済文化代表処を訪れて寄付を実行したのです。

阿部さんの振る舞いに台湾人は喜び、メディアが大騒ぎしたのはもちろんのこと、ネットも大いに盛り上がりました。阿部さんが「ローマ人」役で主演した映画『テルマエ・ロマエ』は台湾でも大人気でしたが、これになぞらえてネット上には多くの台湾人が「謝謝羅馬人（ありがとう、ローマ人）」と書き込んだといいます。

震災という共通の体験を経て、日台は互いの関係を深めることができました。困っているときに手を差し伸べてくれる相手こそ、真の友といえるでしょう。

日本側の支援は安倍総理のメッセージや阿部寛さんの器の大きな対応だけにとどまりません。何よりも、地震という日本にとっては最も痛みの分かる傷ましい出来事です。日本政府だけではなく、多くの人々が台湾へ支援の寄付を行いました。

台湾は日本からの救援チームを「高度な機材を持っている」として受け入れた一方、中国からの支援の申し出は「人員や物資は足りている」と断ったのです。

ここに新たな日台関係のありかたを見たのは私だけではないはずです。

■肝っ玉の小さい親中派が「台湾隠し」

ただし、このような動きを快く思わない「親中派」の人たちは、今もって抵抗を続けています。

安倍総理のお見舞いメッセージは首相官邸ホームページにも掲載されましたが、公開直後に〈蔡英文総統閣下〉の文字を削除したというのです。ホームページに掲載されたのは二〇一八年二月八日のことですが、削除はその日のうちに行われたのです。

これについて二〇一八年二月十三日、元民進党で当時希望の党の議員だった源馬謙太郎議員が質問主意書を出し、「なぜ台湾総統宛てだったのに、宛名を削除したのか」と政府に尋ねました。

すると同日、菅義偉官房長官は「蔡英文総統閣下」の宛名を削除したことを認め、その理由を「より広く台湾の皆さんへのメッセージとして掲載することが適当だと判断して変更した」と説明したのです。

これが中国の圧力なのか、外務省・チャイナスクールの「忖度」なのか、あるいは自民党内の親中派によるものなのか、自粛なのか、そのすべてなのかは分かりません。しかし何と肝の小さいことか。

この〝肝っ玉の小ささ〟で思い出したことがあります。かつて、河野洋平氏が外相だった一九九五年、ＡＳＥＡＮ外相会議に出席するためタイのバンコクへ向かう途中、台風に遭ったために急遽桃園空港に着陸したものの、一歩も飛行機から出なかったということがありました。しかも彼はそのあと、当時の中国の銭其琛外相に「私は台湾の土地に一歩も足を踏み入れなかった」とわざわざご報告申し上げたのです。

避難の受け入れに対する台湾へのお礼の一言でもあれば、台湾人に対する河野氏の印象も変わったでしょうし、人命にかかわる緊急対処で台湾との接点ができたにすぎないわけですから、中国に四の五のと言われる筋合いはないはずです。それを、中国におもねったこのいじましさやたるや。開いた口が塞がりませんでした。

その河野洋平氏は、先ほど述べた李登輝さんの「訪日反対」の急先鋒でもありました。「自分の在任中は、絶対に李登輝訪日は認めない」と言って歩き、その意を受けた外務省の役人が「治療のための訪日というが、李登輝さんは元気じゃないか」と吹聴するなど、その姑息さ、卑屈さは限度を超えていました。

李登輝さんはこの時、「日本政府の肝っ玉は鼠より小さい」と言いましたが、肝っ玉の小さい議員や役人は、安倍政権下にもまだ〝生息〟しているのです。

■『広辞苑』に「台湾省」と載せた岩波書店

中国におもねるのは政治家や外務省など政治の場面だけではありません。いわゆる

「進歩的文化人」と言われ、少数派や弱者の側に立つことが多いはずの左派系のインテリ層も、どういうわけか台湾よりも強者である中国の肩を持ってきたのです。

日本の代表的な辞書である『広辞苑』は、これも日本の代表的な出版社である岩波書店から発行されています。ところがこの辞書では台湾を国ではなく中華人民共和国の一行政区である「台湾省」として記載（二〇一八年一月に刊行された第七版でも踏襲）。これに対し台北駐日経済文化代表処は抗議と表記の修正を申し入れましたが、岩波側は〈『広辞苑』のこれらの記述を誤りであるとは考えておりません〉として受け入れませんでした。

なぜこのような記述にしたのか、岩波書店側は次のように説明しています。
〈中華人民共和国・中華民国はともに「一つの中国」を主張しており、一方、日本を含む各国は「一つの中国」論に異を唱えず、中華人民共和国または中華民国のいずれかを正統な政府として国交を結んでいます。

日中共同声明は、一九七一年十月二十五日国連における中華人民共和国による中国代表権の承認と中華民国の脱退、また一九七二年二月二十一日のニクソン訪中の流れを受け、日本が中華人民共和国を唯一の合法政府と認めたものです。

同声明中で、日本は中華人民共和国が台湾をその領土の一部とする立場を「十分理解し、尊重」するとし、さらに「ポツダム宣言第8項に基づく立場を堅持する」と加え、これによって日本は中華民国との公的関係を終了し、現在の日台関係は、非政府間の実務関係となっています。このような状況を項目の記述として「実質的に認め」たと表現しているものです。

また、「中華人民共和国行政区分」図については、「中華人民共和国」の項目に付した地図であり、同国が示している行政区分を記載したものです。

読者の皆様のご理解を求める次第です〉

要するに「日本政府が中国の言い分を受け入れる形で国交を結び、声明を出しているからそれに従った」というわけです。

中国共産党当局は、もちろん岩波書店の姿勢を支持する声明を発表しています。いわば中国の〝お墨付き〟を得てもいます。

言葉を定義する辞書を作る人間が、政治的方針に沿って「台湾は『中華人民共和国台湾省』である」と事実と異なることを書いてはばからない。台湾人の存在を認めないかのような記述で、それによって存在や人権を否定されている当人である台湾人から抗議を受けても一顧だにしないのは、「進歩的文化人」の代表である岩波書店として矛盾しているのではないでしょうか。いずれにしろ、言葉や言論を扱うプロとして恥ずかしい振る舞いです。

■「故宮展」で「國立」の文字を削った大手メディア

文化交流の場面でも、「中国への忖度」はありました。二〇一四年、台北の国立故宮博物院の所蔵品を日本の東京国立博物館で初めて展示する特別展「台北　國立故宮博物院　神品至宝」が開かれたときのことです。

問題は、開催を告知するポスターのデザインでした。「國立故宮博物院」という正式名称から「國立」の二文字をわざわざ抜いていたのです。これは「抜けていた」というようなミスではなく、意図的に「除いた」結果でした。

「故宮展」の主催はＮＨＫ、読売新聞、産経新聞、フジテレビ、朝日新聞、毎日新聞、東京新聞。特別協力としてTBS、テレビ朝日、日本テレビ、共同通信社という日本の錚々《そうそう》たる大メディアがズラリと名を連ねていました。中国を怒らせれば、自社の記者のビザがはく奪されて国外退去させられたり、支局が閉鎖させられたりといった圧力を受けると考えたのかもしれません。要するに台湾の故宮博物院に「國立」とつければ、中国から何か言われかねないと忖度した結果だったのです。

台湾政府はこれに激怒。東京国立博物館に抗議し、「訂正されなければ企画展中止も辞さない」との声明を発表しました。故宮博物院側も同様の声明を公表し、結果、日本の主催者側は後からポスターに「國立」というシールを貼る応急処置を施し、何とか開催にこぎつけたのです。

東京国立博物館はきちんと「國立」の文字を入れて告知していたにもかかわらず、メディア側が作成したもののみ、この二文字を除いていたのです。この騒動は、中国の顔色ばかりうかがって自主規制する日本のメディアのいじましさやみっともなさを象徴するものでした。

しかも日本のメディアは「國立」の文字が抜けていることを台湾のメディア関係者か

ら指摘され、台湾当局や故宮博物院が怒って初めて問題の大きさに気づくという体たらくだったのです。

普段、「弱者の味方」「反権力」などを標榜しているメディアが、実際には「中国という強きにおもねり、台湾という弱きをくじく」態度を取っていることを、この件は露呈したのです。

台湾側の猛抗議により、「國立」の文字が追加されたことで、何とか無事に展覧会は開催され、最大で三時間待ちの列ができるほどの大盛況になりました。メディア関係者が文化交流の場面でも「抜け目なく」中国へのおもねりを行っているのと対照的に、一般の人々は美術品を通じて日台の良好な関係を印象付けることになったのです。

■李登輝さんはなぜ「尖閣は日本領」と断言したのか

こうした中で、戦後の日台の交流を育んできたのは、いわゆる「日本語世代」といわれる、台湾の日本統治時代に日本人として生まれ、日本語の教育を受けた高齢の台湾人たちです。

少し前まで、台湾で親日であることは「媚日」「植民地時代を懐かしむ自虐的思考」などと言われることもありました。植民地時代を否定し、その後の国民党支配を正当化するための教育を受けた人たちは、特にそうした考えを持ちがちでした。

しかし「日本語世代の親日派」の意図するところは、「歴史の評価を行う際はフェアでありたい」という思いが中心でした。自分たちが受けた教育やインフラ整備などの中で、いいものはいいと正当に評価する。それが植民地支配のもとで行われたものであっても――。

中でも日本人に多大な影響を与えたのが李登輝さんでしょう。台湾民主化の父として、折に触れて日本にエールを送ってきた〝元日本人〟の李登輝さんは日本の老若男女すべての人たちに、「日本とは何か、どうあるべきなのか」を考えさせる存在でもあるのではないでしょうか。

李登輝さんに対する「訪日ビザ妨害」が起きていた二〇〇二年九月、李登輝さんは沖縄タイムスのインタビューで「尖閣諸島は日本の領土だ」と発言し、大きな話題になりました。台湾の総統経験者が、その座を退いたとはいえ「尖閣諸島は中国でも台湾でもなく、日本のものである」と発言するのはかなり勇気のいることです。中国からの反発はもちろん、「尖閣は台湾領だ」と主張している台湾からの批判も出てきかねないからです。

これは、李登輝さんなりの日本へのエールでもありました。ちょうどこの発言が話題になっている頃、私は『ＳＡＰＩＯ』で李登輝さんにインタビューをしましたが、その中で李登輝さんは、「尖閣諸島は日本領である」とする歴史的根拠を挙げるとともに、日本についてこう言っています。

〈日本政府は北京政府の顔色を窺って仕事をしている。日本政府が一番怖いのはアメリカだが、その次は北京なんだ。（中略）ことに北京政府は日本の政府や日本に対していろんな嫌がらせをする。そのたびに日本はおどおどしちゃってね。

私が言わんとすることは、一番大切なのは、日本が受けている中国大陸の精神的コントロールをなくせということ。これを切り捨てなきゃならない。これが続く限り、日本は精神的に中国大陸の植民地だよ〉

〈大切なことは、今の日本の人々の考え方の中にある、中国人の精神的な奴隷になってしまっている部分を断ち切らないといけないということです。それはどういうことかと言えば、日本古来の文化や伝統に戻れということです。戻るというのは、新しいものを求めないという意味ではない。伝統の中から、日本が進むべき道を作っていかなくちゃならない〉(『SAPIO』二〇〇二年十一月十三日号)

中国や韓国が日本をたたき、そればかりを取り上げるメディアや進歩的文化人といわれる左翼的な人々の論調にうんざりしてきた日本人にとって、かつて植民地だった台湾の人間が、日本にエールを送ったことは感動的な出来事でした。

■靖国で亡き兄に再会した李登輝さん

李登輝さんは二十二歳まで「日本人」でした。「岩里政男」という日本名を持ち、日本統治下の台北第一高校から京都帝国大学に進学、翌年に志願して学徒出陣し、日本陸軍の少尉として終戦を迎えました。

李登輝さんの兄は「岩里武則」という日本名で海軍特別志願兵第一期生として海軍に入り、戦死。李登輝さんが兄に再会できたのは、別れから六十二年後の二〇〇七年、靖国神社でのことでした。

その時のことを、李登輝さんはこう書いています。

〈靖国神社で兄の霊の前に深々と頭を垂れ、冥福を祈ることができたことは、私に大いなる安堵の気持ちをもたらした。仲のよかった兄の霊とようやく対面し、私は人間としてなすべきことができたと感じた。

内外の記者が私を取り囲んでいろいろなことを言ってきたが、「私の家には兄の位牌もなければ、墓もない。自分のいちばん大好きな兄貴が戦争で亡くなって、靖国神社に祀られている。もうこれだけで、非常に感謝しております。もし、自分の肉親が祀られているとしたら、あなたはどうしますか」と言うと、みな黙ってしまった。彼らも私の心情を理解してくれたのだと思う。

靖国神社への参拝はあくまで家族として、人間としてのものであり、政治問題や歴史問題の次元でとらえてほしくなかった。そもそも、靖国神社に祀られているのは、国のために命を落とした者ばかりではないか。その一人ひとりに家族がおり、また生きていれば、国のために立派な仕事をしたかもしれない。

その霊を今生きている家族や国を預かる指導者が慰めないで、誰が慰めるのか。政治的に騒ぎ立てること自体が人の道に外れている〉（『Voice』二〇一四年六月号「李登輝より日本人へ『日台の絆は永遠に』」）

日本の政治家は、メディアや中韓からの圧力や批判を恐れて靖国に参拝することさえ控えています。李登輝さんのこの言葉が、日本人にとってどれだけ重みがあるか。

台湾にやってきた日本人の教育やインフラ整備を肯定的に評価し、「私こそ、戦前日本のあるべき教育の理想の結晶体だ」と言ってはばからない李登輝さんが、戦後、自信を喪失したままだった日本の若者たちに与えた影響は計り知れません。

かつて李登輝さんは自信喪失する日本人に、「二十二歳まで日本人だった」私との対談で、こんなメッセージを送りました。

〈私を見てくれと言いたいね（笑）。二十二歳まで日本人だったこの李登輝を。日本は台湾を植民地として統治したけれど、それは欧米のそれとは違っていた。たぶんに見栄もあったのだろうけれど、当時台湾にやってきた日本人は、その理想と情熱をこの台湾の地と人に注いでくれた。後藤新平、新渡戸稲造、八田與一、明石元二郎……、みな台湾人にとって忘れがたい日本人です。深田祐介さんにも語ったことがあるけれど、私はその理想の結晶体みたいなものなんだよ。

台湾でも国民党の下で教育を受けてきた若い人たちに、「台湾とは何か」「台湾人の精神とは何か」を考えてもらうために、かつての歴史の共有を含め日本と台湾の関係について学んでもらいたいと思っています。そうすれば今の日本との関係にもつながる〈台湾人も様々な困難と闘うから、「日本人よ、あなた方も胸を張りなさい」と言いたいね〉（『正論』二〇〇二年四月号「特別対談　日台の絆が拓くアジアの新世紀」）

■日本人誰もが会いたがった蔡焜燦さんの「日本精神」

もうひとり、日台の絆のシンボルだったのが蔡焜燦さんです。

蔡さんは一九九三年から『週刊朝日』に連載された司馬遼太郎さんの『街道をゆく――台湾紀行』（朝日文庫）で、台湾の案内役を務めて〝老台北〟として知られるようになりました。

一九二七年に生まれた蔡さんも、李登輝さんと同様に戦争中は「日本人」として少年兵募集に応募。岐阜の航空隊に入隊、終戦後に台湾に戻り、自身が「台湾の最も暗く陰湿な時代だった」という国民党独裁時代を乗り越え、実業家として成功しました。

かつての母国である「日本愛」にあふれ、私的外交官を自任し、日本からのお客さんを盛大にもてなすのが常でした。『台湾人と日本精神――日本人よ胸を張りなさい』（小学館文庫）には、蔡さんの「祖国・日本」への愛が詰まっています。この本を読んだ若い世代の人たちも、みんな蔡さんに会いたがります。そして、日本人が知らない、台湾の日本統治時代のこと、中華民国時代のことを生き証人として語る蔡さんの話に耳を傾けたのです。日本人以上に日本を思う蔡さんの話に心を動かされない日本人はいませんでした。

私と蔡さんの合言葉は「お国のために！」。この「お国」とは、台湾のことであり、日本のことです。私たち二人にとっては、日本ではほとんど聞かれなくなったこの言葉は、自然と共有できる価値観だったのです。蔡さんは二〇一七年に九十歳で亡くなりました。「お国のために！」と言い合える存在がいなくなってしまったことには一抹の寂しさを覚えます。

私と蔡さんは私が六十歳を過ぎてから知り合いました。お互いの人生は対照的で、私は二十代から日本に留学し、台湾独立運動に参加してブラックリスト入り。台湾に三十年間もの間、帰ることを許されませんでした。

　一方、台湾に残った蔡さんはよくこんなことを言っていました。

「台湾のエリートたちは戦後、多くが海外に留学名目で亡命した。そして海外で台湾の民主化、独立運動を展開してきた。一方、私たちのように台湾に残った人間が、発展する台湾経済を背景に、自分の事業を成功させるのは簡単だった。

　私が台湾でお金儲けをしている間、金さんたちはブラックリストに載せられ、祖国に帰れず、親の死に目にも会えなくても、運動を続けてきた。だからせめてもの償いとして、私はできる範囲で運動に寄付して支援し、台湾に来たら美味しいものをご馳走したいんだ」

　蔡さんはいつも有言実行、私も台湾に帰るたびにご馳走になっていました。

　蔡さんの生き方、考え方そのものが日台親善、日台友好のシンボルでした。フェアに物事を見て、日本統治時代の台湾についても、いいことはいいと主張する。『台湾人と日本精神』の中でも、蔡さんは当時の日本人が台湾でいかに高度で公平な教育を行っていたかについて、自身が通っていた台中県の清水公学校に関する資料を集めたうえで書き残しています。

〈四年生以上は、午前十時と午後二時に時事ニュースのヒアリングの時間がやってくる……こんな高度な教育が、人口たった二万か三万人程度の清水の公学校で行われていたのである〉

〈内地で行われていた教育と同じ教育が、日本の最南端の台湾でも行われていたのであって、〝強制〟などという卑しい言葉は不適切であるばかりか、我々台湾人はそうした歴史の歪曲に不快感を覚えることも知っておいていただきたい〉

自国の歴史を知らない、知っていても影の部分しか教えられていない子供が増えるのは、その国の不幸です。蔡さんは「元日本人」として、「現日本人」に母国の歴史を知ってほしかったのです。

■「元日本人」から「現日本人」への思いは受け継がれた

一九九〇年代に「親日家」を通り越して「愛日家」を名乗った蔡さんの生き方は、日台関係に非常にいい影響を及ぼしています。今では台湾人の八人に一人が日本を訪れるようになり、日本からも多くの観光客が台湾へ行くようになりました。

蔡さんは『台湾人と日本精神』の最後に、こう書いています。

〈二十一世紀は、台日が手を携えてともに平和と繁栄を謳歌して行ける世紀であらんことを祈念して筆をおく〉

素晴らしかった日本統治時代の記憶の継承と、これからの日台関係、そして互いの国民同士の心の紐帯《ちゅうたい》……良好な日台関係の根底にあるのは、こうした「日台が歴史を共有した記憶」なのです。日本人が忘れてしまった、あるいは教えられていない「日台がともに歩んだ時代」を取り戻すことが、現在の日台関係の礎となっているのです。

蔡さんが人生をかけて取り組み、私との合言葉になっていた「お国のために」という思いは、次世代に確実に受け継がれている。今の「日台黄金時代」には、蔡さんも安心しているのではないかと思います。

第5章　日本精神2・0の時代へ

自宅の書斎にて雑誌の取材を受ける著者

■国家意識なき「日本の悲哀」

李登輝さんは「台湾に生まれた悲哀」という言葉を使いました。四百年にもわたる植民地の歴史に加え、今も国際社会から「国家」として承認されない、「国家なき台湾」の人々の苦難の歴史と悲しみを一言で表しており、私も台湾について語るときには、この言葉を使ってきました。

一方、日本は「国家意識なき日本の悲哀」があると言えるかもしれません。もちろん、国家意識は〝誰か〟に与えてもらうものではなく、日本人が自ら醸成しなければならないので、他者によって一方的にアイデンティティを奪われてきた台湾とは事情が違います。

が、学校や家庭での教育によって国家とは何かを教えられることもなく、メディアでは国を敵視する物言いをする人ばかり声がかかる状況で育った子供たちの状況は、ある意味では「悲哀」と取れないこともない。

第1章でも述べたことですが、自国の国旗や国歌に敬意を払うことができない、由来や歌詞を知らない子供たちを多く育ててしまったことは、日本社会の〝悲劇〟です。

もっと言えば、台湾のように外来政権に統治されたわけでもなく、中国のように言論の自由が規制されているわけでもないのに変わることができないとすれば、それはもはや〝喜劇〟と言うべきかもしれません。

私が日本国籍を取得する前から、「日本はどういう国ですか」「日本のいいところを教えてください」という質問をよく受けました。もちろん私が元日本人の台湾人として、また〝日本応援団〟として、日本のいいところや、時には叱咤激励も含めて、意見を発してきたからではあるでしょう。

しかし日本人自身は、「日本はこういう国です」と自己紹介できるかと言えば、はなはだ疑問です。「あなたの国のいいところを教えてください」と言われて、答えることができるのか。大方の日本人は国家意識がなく、ナショナリズムもアイデンティティも持たない「のっぺらぼうの地球市民」になってはいないでしょうか。

国際社会に出ていくためにはまず、自分のことを知らなければどうにもなりません。外国に行って、「日本の歴史について教えてほしい」と聞かれたときに、どう答えるのか。自国の歴史について語れるものを持っているのかという点が重要です。

もし海外で日本について聞かれて何も答えられないようでは、早晩、誰にもかまってもらえなくなります。

海外に行ってまず聞かれるのは「あなたの国はどんな国ですか？」。歴史、文化、習慣など、日本について聞きたがる。日本人は、例えばアメリカに行くならアメリカの歴史を知らねばと勉強しがちで、それももちろん必要ですが、海外に行く際にまず知っておかねばならないのは「自国の歴史」です。

アメリカに行って、アメリカ人からアメリカの歴史について聞かれることはまずありません。アメリカ人が日本人に聞きたいのは、言うまでもありませんが、日本の歴史であり文化だからです。聞かれて答えられなければ、恥ずかしい思いをするのは自分です。また、国内と同じ感覚で「日本という国は本当にだらしがなくて……」などと悪口だけを言う人も軽蔑されるでしょう。

私自身、日本語学校を主宰することで国際交流に努めてきました。一人でも多くの外国人が、日本語を覚え、日本を好きになってくれればという思いから始めたことです。言葉を覚え、さらには日本の文化などいいところも知ってほしい。日本人がどういう考えを持ち、どんな歴史を持っているかまで知ってもらえればなおいい。

ところがこの「国際交流」という言葉すら、日本人には本当のところが分かっていないのではないかと思います。国際交流イベントと銘打つ催しは少なくありませんが、その実態は日本が諸外国の文化を一方的に受信するばかりで、日本から「日本を知ってもらう」ために発信する部分が極めて少ないのです。

あるいは、「おもてなし精神」を発揮しすぎて、これまた一方的に相手の要望に応えることばかり考えてしまう。相手の文化や歴史、伝統や風俗を尊重するのは当然のことですが、日本の歴史や伝統も、同じように尊重してもらわなければなりません。しかし日本人は、あまり相手にこうしたことを要求しないし、そもそもきちんと説明することさえままならない。

自分たちは何が強みなのか、どういうところを国際社会に知ってもらいたいのか。他の国や文化と比べて、どういうところが勝っていて特別なのか。そうしたことをＰＲできないのは、そもそも自分の国について知らないからでしょう。

しかし真の国際化を望むのであれば、まずは日本の立ち位置、あるいは日本人としての自身の立ち位置をしっかり認識することが必要になります。少なくとも、自分が何者であり、どういう国の、どんな物語の中で生きてきたかを表現できなければ、「国際化」など夢のまた夢なのです。

■日本人が大好きな「国際化」「グローバル」

「国際社会」や「国際化」という言葉を使いましたが、日本人はこの言葉が大好き。「グローバル」も好きで、なにかと使いたがります。大学の新設学部も「国際コミュニケーション学科」「グローバルスタディ学科」といったものばかりが目立ちます。

しかし日本人は「国際化」とはどういうものであるか、本当の意味で理解しているとは思えません。

「国際」という言葉にもあるように、本来は国と国との際（境目）が各国の間にあり、それを総合して「国際」と言っているにすぎません。言い換えれば、「国」というものが確立して初めて、「国際問題」なるものへの対処もできるのです。

ところが日本人は「国際社会」という社会が日本の外側に一様に存在していると思い

がちです。特定の一国、二国から批判されたにすぎないのに「国際社会から非難の声が上がっています」などと表現するメディアも多い。

こうした間違いに気づかないために、「国際化しよう！」という掛け声だけで、日本の外のどこででも活躍できる人間になれるという幻想を抱くのです。

これは大きな間違いです。本来、それぞれ確立された文化や価値観を持つ多様な国々とどう付き合っていくかという関係の積み重ねが「国際化」するということであるにもかかわらず、「英語ができれば国際人」「世界中どこでも通用する」というような短絡的な発想しか持てないのです。

どうしてこんな間違いをしてしまうのかと言えば、日本人は、「国際化＝善」であり、「国家＝悪」だと思っているからです。

本来は、日本人としての基礎や自覚が確立していなければ、国際人にはなれません。自我が確立していないのに、他人と真っ当な関係を築けないのと同じことです。ところが日本では、「日本人としての自覚＝ナショナリズム」を持つことは悪だと言われ続けてきました。だから「国家」をすっ飛ばして地球市民になることこそが善であり、真の国際人なのだという勘違いを起こすのです。

実際には全く逆です。自国のこともよく知らずに、国際人になどなれるはずもありません。国際人とは、どの国の色にも染まらない、のっぺらぼうの「地球人」を指すわけではない。それぞれ自分の国を一つの基準として、その歴史や価値観を縦軸としつつ、母国と他国との比較を横軸に据えながら、「国際社会」というものの全体像をつかんでいく。その中で「国際人」としてのバランス感覚が身についてくるのです。

日本は島国で、国境が接している国々がせめぎ合う、まさに「国の際」に生じる諸問題の負の面を長らく経験せずに済んできました。しかし例えばヨーロッパであれば、否応なしに隣国と国境を接し、侵略したりされたり、力のバランスが崩れれば征服されたりというのっぴきならぬ状況が常だったのです。それぞれの国が国益に基づいて行動する際に、戦争にならないよう、どこかのバランスが崩れて破局を招かないようにする視点を持つことこそが世界の他の国々にとっての国際化なのであって、そのためにはまず自国の立場はどういうものであるのかを知らなければなりません。

世界には二百近い国がありますが、それぞれ力のある国、小さな国、経済力はないけれど立派に自国を守っている国、親日的な国、反日的な国と様々な立場があります。そうした国の特性を知り、相対していくにはまず自国が中心に座っていなければ対応のしようもないはずです。

にもかかわらず、朝日新聞などは、「自国」を強く意識するナショナリズムが高まることで、排外主義が横行する、国際関係が悪化するという論法をいまだに使っていますが、これは全くの間違いです。日本人としてのアイデンティティを確立して、他国との違いを知ることで国際社会が見えてくるのであり、「国際人」や「地球市民」的なのっぺらぼうになれば諸問題が解決するという話ではありません。

■間違いだらけの英語早期教育

また、「国際化＝英語」、という思い込みも間違いです。

日本では以前から「英語の早期教育を」という掛け声がありますが、これも全くの間違い。特に「国語の授業を削ってでも英語の授業を増やすべきだ」とする意見には猛然と反対を述べたい。外国語の能力は母国語のレベルと正比例するのであって、これが語学教育の本質です。

日本語をおろそかにすれば、仮に英語が一見ペラペラになったとしても、話す内容が薄っぺらになるのは火を見るより明らかです。正しい日本語で表現できない人間が英語を覚えたところで、相手に伝えられる内容はたかが知れています。自国を知らなければ語る材料がないのと同様に、日本語ができなければ、英語で話す際の基礎になる論理も構築できないからです。

私は二十年にわたり、早稲田大学で英語の講義を担当してきました。そこで重視したのは「読解力」の養成です。学生たちは授業で構文や単語を教えたところで、使わなければすぐに忘れてしまいます。しかし英文学を使った授業で培われた「読解力」は一生もの、生涯にわたって学生たちの糧となるだろうと思ったのです。もちろん担当する教師の負担は大きくなりますが、実践で役立つ英語での交渉力というのは、暗記やテクニックで養うことはできないのです。

日本人にはどの世代にも英語コンプレックスがあるようで、「中高大と十年近く英語を勉強したけれど少しもしゃべれるようにならなかった」という自分たちの経験が、

「もっと小さい頃から徹底して英語漬けにすべきだ」という誤った対策を生み出しているのでしょう。

しかし問題は「日本人だから英語ができない」「小さい頃から教えないから話せない」ことではありません。日本では識字率が高いから誤解されているのかもしれませんが、複数の言語を使い物になるレベルで身につけられるかどうかは、一種の才能次第です。

日本人の親の語学教育熱もさることながら、日本にいる外国人の親たちも、子供に早いうちから日本語以外にも母国の言葉を覚えてほしいと考える人が多い。しかしそうして一つの言語をしっかり習得する前に複数の言語に手を出すことで、あれもこれもすべて中途半端という事態に陥ることにもなり得る。戦後の台湾がその最たるものです。

日本語、国語を重んじることは、日本人としてのアイデンティティを重んじることと同義です。日本語を話さなくなれば日本人でなくなるといっても過言ではありません。人は言葉によってものを考えます。言語には、その国の歴史、文化、考え方がしみ込んでいる。言葉が豊かになれば、思考も豊かになりますし、言葉が貧弱になれば思考力も貧弱になる。思考のベースとなる言語がしっかりしていないと、次に覚える言語も曖昧になるのです。

　複数の言語を自在に使うことができれば子供にとって武器になるだろう、と親は考えるものです。しかしそれはあくまでも思考のベースになる日本語を固めてからの話。切れない包丁を二本も三本も持っているよりも、よく切れる包丁が一本ある方が、料理をするには具合がいいのと同じで、まずは使い物になる一本の包丁を磨くのが先であり、それが料理全体の核になっていくのです。

「英語がペラペラ」というと何かすごいことのようですが、「中身がペラペラ」では意味がないのです。こうした本質論を無視して「とにかく小さいうちから英語を習わせなければ、国際社会で闘っていけない」とするような風潮に、国の教育方針までもが左右されているのは実に情けない事態です。

　海外から日本へ働きに来ている人たちは、例えばコンビニエンスストアでの接客をするレベルの日本語であればすぐに身につけることができます。日本人と日常会話を交わす程度であれば、支障はないかもしれませんが、言葉の習得というのは根本的には思考の枠組みを習得することを指すのであって、会話さえできればいいというものではありません。また、そういう意味での「語学力」を求めているというならば、なおのこと小学校や幼児のうちから日本語以外の言語を教える必要はないでしょう。

■国語の授業を減らして英語の授業を増やすのは本末転倒

日本人を英語下手にしている最大の理由は「照れ」ではないでしょうか。私は、自分たちの子供は日本語ができれば良いと考え、台湾語を教えるつもりはありませんでした。子供たちのアイデンティティの分裂を危惧したからです。一方で英語教師としては、自分の子供たちに学校でへたくそな英語を刷り込まれては困ると思い、しぶしぶ家庭で個別授業を実践してきました。

ところが学校で英語の授業が始まると、「教室で浮きたくない」と言って、滑らかな英語の発音をしたがらなくなりました。教師も英語が流暢に話せるわけではないし、周りもカタカナ発音でやっている中で、自分たちだけ「いい発音」をするのが嫌だと言うのです。

そうした「いい発音をして『外国人ぶってる』ように思われたくない」「みんなと違

う発音をして浮きたくない」という「照れ」が日本人の英語力を抑圧しているのではないかと思うのです。

あえてあと二つ言えば、「文法的な正しさを気にしすぎて言葉が出てこない」点と、「最初から立派なことを言おうとしすぎてしまう」ことも弱点として挙げられます。

日本ではたどたどしい日本語を話す外国出身タレントでも愛されますが、自分たちがたどたどしい英語を話す様《さま》は恥ずかしく感じるようです。立派に見せよう、文法的に正しく話そうとすることで、口から英語が出てこなくなってしまうのです。

そもそも、国際化しているといっても誰もかれもが生活やビジネスで本格的な英語を使わなければならないわけではありません。英語が必要な仕事や環境に誰もが置かれるわけではないし、先述の通り、語学には一種の才能が必要ですから、得手不得手がある。何も全員平等に子供のうちから教え込む必要はないのです。

もちろん、言語ができれば取得できる情報も、楽しめるエンターテイメントも二倍三倍になりますし、できるに越したことはありません。しかしそれもこれも思考のベースに「読解力」あってのこと。日本語の本もろくに読めないのに、英文学が読めるわけがないのです。「読解力」は基本的には母国語でしか養われないのですから、「国語を削って英語を増やす」のは本末転倒です。

外国人労働者を受け入れる前に考えておくべきこと

近年、日本では外国人労働者が増加しています。少子高齢化の結果として、生産年齢人口、つまり国内の働き手の数が減っていることから、外国人を労働者として迎え入れようというわけです。日本の人口構成や少子化などの状況を考えれば受け入れもやむを得ない面はあるでしょう。ただし、重要なのはその「受け入れ方」です。

ＥＵでは、中東やアフリカからの移民が、最初は労働者として、さらにその後は難民としてドイツやフランスなどに殺到し、様々な軋轢を生んでいます。報道でよく取り上げられ、かつ問題視されている「極右の台頭」「排外主義的ポピュリズムの盛り上がり」は、もとを正せば、かつては外国人労働者や移民の問題、そして近年では難民の問題に端を発しているのです。

二〇〇五年十月末、パリでは大規模な暴動が起きましたが、これはパリ郊外で強盗事件を捜査していた警察官が、北アフリカ出身の三人の若者を追跡したところ、彼らが逃げ込んだ変電所で感電死するという事件が発端です。

これに対して若者たちが起こした暴動がフランス全土に広がりました。郊外には貧困層の住むスラムなどがあり、そうした犯罪多発地域に住む若者と警察との間ではかねてより軋轢があり、それが事件をきっかけに噴出したようです。

こうした火種は、事件が起こる三十年ほど前から撒かれていたものです。

私は一九七四年に初めてパリに行きました。「花の都・パリ」というイメージを抱えてその地に立った私は絵画そのもののような美しい街並みに心を躍らせたものでしたが、地下鉄構内に一歩足を踏み入れたところで、空気が一変したことに気づきました。警察官が巡回し、アラブ系の若者に身分証の提示を求めるなど、治安が低下していることを感じさせる光景が見受けられたのです。

翌年、ケンブリッジ大学の客員教授として渡英し、一九七六年には正月をパリで迎えようと海を渡りました。大みそかの夜にパリのシャンゼリゼ通りへ出たのですが、そこにいたのは人と車の大渋滞。しかも目に付くのは有色人種ばかりで、いわゆる「パリっ子」と聞いてイメージするような白人の姿はほとんどなかったのです。

　彼らは第一に生活のためにパリに来ており、仮に自分の努力不足で職を得られなかったとしても、その責任を現地の政府に求めがちです。また、いわゆるポリティカル・コレクトネスが進んだ今、「労働者がもともと持っている文化を尊重すべきで、無理に白人社会や文化に同化させるべきではない」という声も高まってきました。

　しかしそうやって労働者側に立てば、今度はもともとその地に生まれ住んでいる人たちからの不満が高まる。これが今起きている西洋社会の「極右の台頭」であり「排外主義的ポピュリズムの盛り上がり」の原因になっている面は否定できません。

　その点、「博愛」をうたうフランスはある意味したたかで、差別主義者と言われても揺るぎもしないフランス人もいれば、二〇〇五年の暴動で暴徒と化した若者たちを「クズ」「ゴロツキ」と呼んだニコラ・サルコジが、二〇〇七年には大統領に就任しています。

　日本では二〇〇〇年に当時の石原慎太郎都知事が「不法侵入した三国人や外国人の騒擾事件に備えるべき」と発言した程度のことでメディアにたたかれましたが、フランスはそうではなかったのです。

観念的に人種差別を許さないとする思想と、実際に共生できるかという間には大きな違いがあります。また、受け入れ国側がいくら心を開き制度を整えても、入ってくる側の人たちが同化を拒んだり、現地の言葉を習得することさえしなければ、共生は現実的には難しくなるでしょう。そうして移民は移民同士でますます固まって住むようになり、孤立していくという悪循環にもなり得ます。

一方で日本は、少子化で働き手がいなくなり、子供の数も減っていく。特に働き手がいないのは大変な問題で、今すぐにでもたくさんの働き手を必要としている業種があちこちにある状況です。外国人を一切受け入れずにやっていけるとは言い切れない状況にあり、必要に応じて柔軟に対処しなければならないのが現状です。

外国人労働者を上手く受け入れるには、何よりも制度設計が重要です。入り口の時点で、どういう人材が欲しいか、どういう分野の人手が足りないのか、どういう条件でどのくらいの就労ビザを発行するのかを、受け入れ国側がフェアにドライに仕組みとして決める必要がある。そして日本社会に溶け込むためには日本語を教える必要もあるでしょうし、帰国を促すのであればルールを徹底し、守らせなければなりません。

日本ではこうしたドライな取り締まりを問題視し、すぐに「差別だ」「かわいそうじゃないか」という〝人道的〟なことを言いがちです。しかしそうした感情的な声に惑わされず、やる以上はルールとして徹底する必要がある。そうでなければ外国人労働者受け入れ制度は崩壊し、日本人も、外国人労働者もみんな不幸になると知っておくべきでしょう。

■百万人近い働き手を失わせる「引きこもり」の問題

生産年齢人口の減少、つまり「働き手が足りない」という問題には「引きこもり」の存在も少なからず影響しています。二〇一九年に発表された内閣府の調査によれば、自宅に半年以上引きこもっている人のうち、十五歳から三十九歳の若年層が、全国で五十四万人、そして中高年の四十歳から六十四歳の引きこもりは推計六十一万人を超えているというのです。彼らが何らかのきっかけで外に出て働けるようになっていれば、なんと百万人近い「人手」が確保できた計算になります。

もちろん心身の病によって家から出られなくなってしまっている人もおり、なぜ引きこもりになってしまうのか、理由は様々でしょう。私が二〇一一年から三年間、限定で主宰した「美齢塾」という交流会に応募してきた京都大学大学院生の青年も、二年間引きこもっていたといいます。理由を聞きましたが、「なんとなく」だという。

話を聞いてみようと大阪出張の際に朝食に誘いました。彼はいつしか引きこもるようになり、二年間ゲームをやって日々を過ごしていたようですが、同時に本も読んでいて、その中に私の本もあったといいます。

「金美齢という人は台湾から日本に来て一生懸命生きているのに、自分は何をしているんだろう」

そう感じて、私の交流会に応募したというわけです。彼はこの会への参加などをきっかけに引きこもり状態から脱し、今は結婚して公務員として働いています。

彼の場合は読書を契機として自分の状況を見つめなおし、引きこもりから脱出できました。しかしもし彼が日々をゲームやネットだけで過ごしていたとすれば、こうしたきっかけを得ることはできなかったかもしれません。

引きこもりが悲劇を生んだのが、二〇一九年六月に起きた「元農水事務次官息子刺殺事件」です。七十六歳の元農水次官の父親が、四十四歳で引きこもりの息子を殺害した事件で、世間に大きな衝撃を与えました。

事件の背景には家庭内暴力があったようです。

私の息子も、十四歳のときに何かのきっかけで父親に力で刃向かおうとした瞬間がありました。その場に居合わせた私は、夫の前にパッと割って入り、息子の行動を遮りました。私は息子に「家庭に暴力は持ち込ませない。夫への暴力は絶対に許さない」と示したわけです。息子はひるみ、その後、力に訴えようとすることはありませんでした。

息子を自分の手にかけた元次官の父親は、家庭内暴力にどう向き合っていたのでしょうか。

また、一人暮らしをする無職の息子に、仕送りをしていたというのも問題です。また、「自宅に戻ってきたい」という息子からの申し出に対しても、きっぱりと断るべきだったのではないでしょうか。

引きこもっている子供の部屋の前に食事を持って行く親は多いようですが、こうした「配慮」が本当に必要なのかは、疑問です。私なら絶対に食事を作らないし、一定の年齢以上になれば家から追い出す努力をします。子供が自立できないのは本人だけではなく、自立させない、突き放さない親の方にも問題はあると思います。

我が家の家訓は「働かざるもの食うべからず」ですから、社会人の年齢に達したら、自分の食い扶持は自分で稼いでもらう、と折に触れて言っていました。もちろんそれでも、子供がちょっとした躓きで引きこもり生活に突入する危険性は常にあるのでしょう。特に引きこもりは男性が多いと言いますが、「男は働いて家族も養わなければならない」「せめて父親と同じくらいの大学に行ってほしい」などという期待を、男性は背負わされがちです。その期待に応えられなかったという挫折が、彼らを引きこもらせる原因にもなり得るのでしょう。

■いじめ問題、親や社会は戦うことを教えなければならない

また、父親に殺害された息子のようにいじめなどが原因で引きこもりに至ることも少なくないようです。いじめ事件は一九九〇年代から、被害者の自殺によって明らかになり、社会問題化するケースが後を絶ちませんでした。いじめ事件は日本だけではなく世

界中どこでも起こり得ることですが、日本社会の対応には抜かりがあるように思えてなりません。

例えば、いじめによっていじめられた子供が自殺すると、まず学校や教育委員会、教師が批判され、メディアからの集中砲火を浴びます。しかし最もつるし上げられるべきは、いじめた子供であり、その親です。現場の教師が、休み時間や放課後に行われるいじめの全容を必ずしも把握できるわけではありません。いじめる子供もバカではありませんから、教師にバレないようにやるに決まっています。

もちろん学校側がいじめの兆候を察知してすぐに対処できれば、それに越したことはありません。しかし起きてしまった後で、たたきやすい、責任を追及しやすいからと学校や教育委員会に大バッシングを展開しても、事態は好転しません。むしろバッシングを恐れて、かえっていじめの実態を隠蔽することにつながりかねない。

また、被害者が自殺すると、被害者を過度に「悲劇のヒーロー」視する風潮もあります。一九九四年に中学二年生の生徒が壮絶な遺書を残して自殺した際には、ある女性弁護士が「よくぞこんな遺書を残してくれた、ありがとうと言いたい」とコメントしていました。しかしこうした同情やヒーロー視は、自殺の連鎖を招きかねません。ましてや、いじめによる悲劇を減らす方向にはまったく寄与しないのです。

大人が子供に対して伝えるべきは、「戦って、なんとしてでも生き延びろ」というメッセージのはずです。いじめは最初が肝心ですから、まず自分がターゲットになったらどう対処するのかを考えなければなりません。どういう武器を持つか。誰を味方に付ければいいのか。教師が気づかないのであれば、親に訴える。いじめの内容がエスカレートするようなら、警察に駆け込んでもいい。そうした選択肢を子供に教える必要があります。

私の息子が中学一年生の頃、先輩に目を付けられ、三人に取り囲まれて「今度、挨拶しなかったらめちゃくちゃにするぞ」と脅されたことがありました。

そのことを息子から聞いた私は、「呼び出されても絶対に行くな」「もし殴られそうになったら走って逃げろ。こういうときに逃げるのは卑怯ではない」「もし捕まって殴られたら耐えろ。必ず仇《かたき》は取るから」と話しました。

一方、夫の周英明はこの話を聞いてかんかんに怒り、相手の親に電話を掛けました。

相手はガラの悪い親で、ドラ息子の素行を注意するどころか「子供の喧嘩に親が出てくるなんて」と言い出した。しかし周はひるまず「一人を三人で脅しておいて、子供の喧嘩で済むものか。もし手を出して怪我でもさせたらただじゃ置かない。学校が動かないなら、警察に行く」と宣告したのです。

するとさすがに相手の親が子供を注意したのでしょう。息子に対する嫌がらせはぴたりとやみました。「あそこの子供は親が本気だから、手を出すな。手を出したら厄介なことになるぞ」とでも言われたのでしょう。親の戦う姿勢が、問題を未然に防いだ例になりました。

■いじめを防ぐ「教室の『集団的自衛権』」

いざというときには、戦わずして生活の平穏は守れない。それは国であれ、家庭であれ同じことです。もちろん、気の弱い子供もいるでしょうし、腕っぷし、力ずくで来られれば戦う前から勝敗は明らかだという場合もあるでしょう。しかしそれは国も同じことです。

台湾も、中国が己の武力をもって全力で侵略してくれば、台湾一国の力では抵抗のしようがありません。だからこそ常に頭を働かせて、どういう戦い方があるのか、状況をどう回避すべきかを考えている。それが国家における危機管理というものです。

台湾にとって、アメリカや日本との関係強化が中国からの侵略を防ぐ最大の策であるように、個人でも誰を味方につけるか、最終的にはどこに駆け込めばいいか、どうすればいじめにあわなくて済むかという危機管理能力や抑止力を持たなければならない。

時には「このクラスではいじめは許さない。もし誰かが誰かに手を出せば、他の生徒が立ち上がるぞ」という「集団的自衛権行使の宣言」までもが必要になるのです。

子供たちが自発的にこうした考えを持つことは難しく、第一には親が子供に教えなければなりません。時には、我が家のように子供の喧嘩に親が出ていくことも必要でしょう。まず何よりも親が子供に学校であったことを率直に話してくれるような関係性を構築しておくことや、「何かあれば必ずあなたを守るために戦う」と子供に認識させなければならない。親が子供のために戦う姿勢を示す必要があるのです。こうしたことは大事に至ってから「社会が悪い」「学校が悪い」と糾弾するはるか前に、親が子供に対して果たすべき義務であるはずです。

日本の場合は憲法からして、戦うことを拒否し、武器を放棄すると高らかに宣言しているのが大問題で、こうした理想主義は子供のいじめの現場では全く通用しません。「自分たちが武器を持たなければ、誰も戦争を仕掛けてこない」「他人の公正と信義に基づいて、自分の安全も保障される」などと憲法前文のようなことを言っていたら、自分の身一つ守ることはできないのです。

ましてや「アメリカに助けてもらうのは当然だけど、だからといって集団的自衛権の行使を認めたら、同盟国であるアメリカが戦争に巻き込まれたときに、自分たちにも火の粉が降りかかるじゃないか。そんな厄介はごめんだ」と言うような大人ばかりでは、教室で起きているいじめに対しても傍観者を気取るのが得だという子供が育ってしまう。

そう考えるに、子供たちに、自分の身を守るために戦うことを教えられない、その最も大きな原因は憲法にあると言わざるを得ないでしょう。「戦ってでも、自分の領域を守る。なんとしてでも、生活の安全を確保する」という意思が国家として欠けている国の大人たちが、子供に戦うことを教えられるはずがない。

「『戦いません』と宣言していれば、誰からも戦争を仕掛けられない」「危なくなったら国連が何とかしてくれるから、自分では何もする必要はない」「アメリカが守ってくれる約束になっている」「中国が攻めてくるわけがない」「中国が攻めてくるとしたら、それは日本が何か中国の信頼を損ねたときだから、とにかく土下座外交を続けていればいい」……こうした非現実的な他人まかせが、その国に生きる子供たちに与えている影響は計り知れません。

問題が起きれば即、「学校が悪い」「社会が悪い」「教育が悪い」と言い出す親では、いざ自分がいじめにあっても自分のために戦ってくれるとは思えないでしょう。「いざとなったらアメリカが守ってくれる」と言う政府を、国民が信頼できないのと同じことです。

その根本にあるのは、「戦う勇気」が決定的に欠けているということです。理不尽な目に遭ったら、それが自分であれ、他人であれ、声を上げる。その勇気がなければ、いくら教育委員会の権限を強化したところで、いじめをなくすことはできません。

「我思う、ゆえに我あり」とデカルトは言いましたが、個人精神的自立や、国家の自立には「我戦う、ゆえに我あり」という意思こそ、まず根本的に必要であることを知らなければなりません。

■日本人が気づかない日本最大の「財産」とは

日本人としてのアイデンティティを確立するためには、日本人であるという「自信」を持つことが必要です。しかしメディアで報じられる「日本論」は、あれもダメ、これもダメという暗いニュースばかりです。もちろん現実を直視せず明るいことばかり言っていてもダメなのですが、人間、自信がなければ前向きに問題に取り組んでいくことすらできなくなってしまいます。ではどうやって自信を回復すればいいのでしょうか？

十五年ほど前の、元旦のことです。私は毎年年末年始を台湾で過ごしますが、台湾でも元日には日本同様、普段より分厚い新聞束が配達されます。前年を振り返り、その年を展望する記事を読んでいると、世界経済の動向を分析する記事があり、なんと日本だけ、株価が一六％も下落したと報じられていました。

以来、私はことあるごとに「日本再生への提言」を掲げるようになりました。といっても、株価がどうだ、金融政策がどうだというような専門家の議論ではありません。私でも、今からでも、誰にでもできる日本再生。それは「日本回帰」でした。

二〇〇〇年代に入ってからも日本はバブル崩壊後の経済不振をなかなか抜け出すことができずにいました。一方でグローバル化は急速に広がり、国内の工場は海外に出ていきました。

かつては日本製が尊ばれた白物家電すら、日本企業は撤退。ブランドは日本企業でも、生産拠点は海外というのがほとんどになってしまいました。

この流れを逆回転させて、「日本人は、メイド・イン・ジャパンを買おう！」というのが「日本回帰」です。安かろう悪かろうの中国製品に負けないよう、日本人自身が日本産業を買い支えるべきだと考えたのです。

かなり前のことになりますが、愛媛県の今治へ講演に行ったときのこと。地元の方から「タオルの生産が主要産業だったのだが、近年は中国からの安い輸入タオルに押されて、製造会社が次々に廃業している」と聞かされました。

そこで私は「値段で勝負するな、品質で勝負しろ」とハッパをかけたのです。中国製の魅力は「安さ」だけ。品質では日本製に到底及ばない。「いいものを作れば、価格が少々高くても買う人は必ずいます」とアドバイスしました。

数年後、今治では有志が集まり今治タオルのブランドを立ち上げ、大成功を収めました。今治タオルは高級感のある上質な「ブランド」として定着したのです。

■中国が「日本ブランド」を登用したがる理由

今や、日本製タオルを追いやっていた中国製が、むしろ「今治」の名前を欲しがり、二〇一八年には中国の企業が中国で「今治」名の商標登録を行おうとする動きまでありました。もちろんこの申請は却下されました。

〈「今治」は、日本の市名且つ当該市のタオル生産量は日本一であり、関連公衆において一定の知名度を有する。被異議商標「今治」の使用は欺瞞性を帯び、容易に関連公衆に商品の出所を誤認させるものである。〉

中国の「日本のブランド盗用」は以前から後を絶ちませんが、さすがに中国当局も認めざるを得ないほど、「今治タオル」のブランドは定着したと言えるでしょう。

なぜ中国は、日本のブランド名を盗んでまで利用しようとするのでしょうか。それは「信用」という価値の重さを中国が痛いほど知っているからです。

中国からの観光客が日本で爆買いをする理由もここにあります。最近では「日本の方が価格が安いからだ」という声もありますが、これが本質ではありません。中国人観光客が求めているのは日本で買うことによる「信用」です。

中国でも日本製の商品は売っていますが、それが本当に日本製であるかどうかは分からない。コピー商品が山のように出回っているからです。一方、日本で買えば間違いない。中国人客は日本を市場として信用していて、言い換えれば中国人は日本製、日本市場の価値を最もよく分かっているし、日本には自分たちにはない「信用」が備わっていることを、ともすれば当たり前にその「信用」を享受している日本人以上によく知っているのです。

むしろ日本人の方がとにかく安いものをと価格のみを追求し、服でも雑貨でもほとんどが中国製になってしまった、というのが平成の三十年間でした。デフレの影響で賃金が上がらず、安さばかりを重視した結果です。しかしそれは自分たちの首を絞めることになった。自分たちの「信用」という強みが、いかに武器になるかに気づきもしなかったのです。

ではその「信用」を構成しているものは何かといえば、実は私たち一人ひとりの日本人の振る舞いなのです。仕事は手を抜かない、コピー商品を本物と偽って販売しない、お釣りや代金をごまかさない、といった日本人としては当たり前のことにこそ、海外から日本に来る観光客にとっては大きな価値があるのです。

■台湾人が見つけた「日本精神」

台湾では、このような日本的な価値を「日本精神《リップンチェンシン》」と言ってきました。日本への信頼は、企業や政府によってのみ保たれているのではありません。そこで働く日本人一人ひとりの、ルールやマナーを順守する姿勢、日々の仕事に取り組む姿勢といったささやかな心掛けや振る舞いそのものが、日本に対する諸外国からの「信頼」を醸成しているのです。

台湾人が「日本精神」と言うとき、それは戦前の日本人が持っていた「清潔」「公正」

「勤勉」「信頼」「責任感」「正直」「規律遵守」「滅私奉公」といった価値観を指します。

これは、戦後台湾にやってきた国民党の「中国式」の無責任で不公正で拝金主義的なやり口との対比で美化された部分もなくはありませんが、台湾人の庶民が自然に、「日本的だ」と感じる価値観に対して、日本人が引き揚げた後、自然に使うようになった言葉です。

もちろん、日本統治時代にはいろいろな日本人がいて、ふんぞり返って威張ったり、台湾人に強く出たり、差別的な言動をする人も中にはいたでしょう。しかしおおむね日本人はまじめに、よく働き、台湾人に対しても居丈高に振る舞う人はそう多くはありませんでしたし、責任感や公徳心も強かったのです。日本人が台湾に残してくれたものは、目に見えるインフラだけではなく、仕事への姿勢、生き方という精神性や価値観にかかわる目に見えないものもあった。その目に見えないものを総称して「日本精神」と呼んだのです。

日本人が引き揚げた後にやってきた中国人との対比もあって、台湾人は戦前の日本時代を回顧し、当時の日本人がいかに「公」の精神を重んじていたかも分かりました。私腹を肥やすことにのみ血道を上げて賄賂でも裏金でも何でもありだった中国人とは違い、日本人は少なくとも公明正大だった。

そして仕事や生活において美徳や倫理観を持っていた日本人の振る舞いが、台湾にもそうした風潮を残したのです。「彼は日本精神だね」と言えば、それは「彼はまじめで堅実だね」ということを意味しています。

しかしこれはあくまでも、日本統治期に台湾にいた日本人の姿を映したものです。戦後の日本人は、特にバブル前後などかなり拝金主義的になり、札束をちらつかせれば何でも思い通りになるかのように振る舞っていた時期がありました。

また、台湾を統治していた頃の日本人が、どんな思いで、どんな施策を行ったかなどについても、戦前否定をすることが良識であるかのような戦後の風潮の中で、すっかり忘れ去られていたのも事実です。台湾の老世代から教えられて、「そうだったのか」と再発見したのが実際のところだったのです。

二〇〇〇年前後になって「台湾の人たちが、かつての日本を思ってくれている」と知り、そのことを象徴する「日本精神」という言葉があることを知った。特に自虐的な歴史観を教育されてきた世代の日本人は、この言葉に感動したようです。「日本の先人たちは、悪いことばかりしていたわけじゃなかった」「自分の祖父母たちの世代の日本人は、人から感謝される立派なこともしていたのだ」と。こうした発見は、日本人の歴史の見直しや、自信を取り戻すきっかけにはなったかもしれません。

『台湾人と日本精神——日本人よ胸を張りなさい』を書いた蔡焜燦さんに会いたがる日本人が後を絶たなかったのも、日本人が失った歴史の空白を、当時日本人だった台湾の蔡さんから聞きたいという思いがあったからでしょう。もちろん蔡さんにも、「日本人に立派な人たちがいたこと、台湾と歴史を共有していた時代のことを知ってほしい」という思いがありました。

■「日本精神」をアップデートせよ

この言葉を知った後、日本人はどうするか。それはこれからの日本人次第です。単に台湾に「日本精神」という言葉があったと言って喜んでいるだけではダメで、その精神を守り、備えていくためにはどうすべきかを日本人自身が能動的に考えなければならないでしょう。今時の言葉で言えば、いわば「日本精神２・０」とか「日本精神をアップデートせよ」ということです。

そしてそれは、国や政府がやればいいという問題ではありません。日本という国や社会をより良いものにするのは、何も政治家や国際的に活躍する企業だけではないことが、先の今治タオルの例からも分かるでしょう。

「自分は国に、地域に、社会に、どういう形で貢献できるのか」「自分たちの持っているいいものを、どう生かせばいいのか」を考えて実行していくことで初めて、国は発展していくのです。

「私は立派な会社に所属して、何かを生み出しているわけでもないし……」などと落ち込む必要はありません。一生懸命働いたお金で、少し贅沢して今治のタオルを買う。あるいはいつもよりワンランクいい夕食を楽しむ。それがひいては、日本経済を回すことになり、内需を拡大していく。それが大事なのです。

そうして自信を取り戻した日本人が、「俺たちの『ジャパンクオリティ』で世界に打って出よう」とさらに未来を切り開いていくのです。

■日本は総合点で世界一！

日本には、「信用」という世界一の強みがあります。「日本は経済規模で中国に抜かれた！」とまるで世界の終わりのように言う人もいますが、その中国が喉から手が出るほど欲しいのが「日本ブランド」であり、「信用」なのです。

しかしこうした当たり前のことが、あえて指摘されないと理解できないのが日本の弱点でもあるのでしょう。

このような自国に対する自信のなさ、誇りのなさ、評価の低さ、強みを自覚できない点などは、日本の一番の問題です。先に述べた歴史観の欠如や、いい意味でのナショナリズムまで否定してきたことが呪縛となって日本を縛り付けています。さらには、バブル崩壊以降の「失われた二十年」がその自信喪失に拍車をかけてきました。

しかし他国から見れば、世界二位が三位に後退したくらいのもので、どうしてここまで自信を失うのか不思議に思えるでしょう。いつ中国に力で併呑されるか分からないという危機感を身にしみて感じている台湾と比べても、日本はまだまだ恵まれているのです。

だからこそ平和ボケに陥りもする。二〇二〇年の年明けの頃、台湾が中国からの圧力を押し戻すべく選挙戦を戦っているとき、そして香港でのデモがまだ終わっていないさなかにあって、日本で話題になっていたのはなんと安倍総理の「桜を見る会」でした。総理主催の「桜を見る会」の招待者数が増えすぎていること、招待者に詐欺行為が疑われる人物が含まれていたこと、招待者リストが破棄されたことなどを野党とメディアが問題視し、連日追及していたのです。その後、新型肺炎の脅威が明らかになり、日本でも対策が急務となりましたが、その状況に至ってなお、野党とマスコミは「桜を見る会が問題だ」と言い続けていたのです。

まさに平和ボケ。国を失う恐ろしさを実感したことがないからこそ、このようなことができるのでしょう。恵まれているからこそ、そのありがたみに気づくこともない。「日本はダメだ、役人はダメだ、企業はダメだ、上級国民はダメだ」などと他人を批判しているだけで何かやった気になっているのだから、世話はありません。

もちろん、欠点や間違いを指摘することも必要ですが、良いところは褒め、悪いところは「自分に何ができるか」を考える人を増やさなければならないでしょう。自分自身の努力もなしに社会や政治に文句を言っているだけでは、日本が持っている財産を次世代に受け継ぐことはできないのです。

もちろんどんな国にもこうしたどうしようもない人たちはいますが、日本が持っている財産を、どのように次世代へ受け継いでいくかを真剣に考える人間を増やさなければなりません。

■国のために死んだ人を顕彰できない日本のおかしさ

歴史に光と影の部分があるように、一国にも良いところと悪いところがあるのは当然です。しかしメディアはおおよそ日本の悪いところしか指摘してきませんでした。

悪いところだけを指摘しようとすれば、歴史が長い国であればあるほどいくらでも材料はある。つまり楽なのです。そもそも、完璧な国など世界中どこを探してもありません。日本では「過去から学ぶ」と言えば先のアジア・太平洋戦争に結びつけて、「中国や東南アジアを侵略した歴史を反省せよ」とそれしか言わない。特に戦後から二〇〇〇年代に入る前までは、ほとんど自虐史観一辺倒だったのではないでしょうか。

例えば靖国神社参拝。一九八六年に当時の中曽根総理大臣が中国に気兼ねして公式参拝を取りやめてから、中国の圧力は強くなり、今や閣僚の参拝さえ珍しい状況に至ってしまいました。しかも「靖国参拝をやめろ」の声は、中国だけではなく、オバマ政権時代のアメリカからも上がることになった。

「参拝をやめろ」などと外国が口を出すのは、無礼の極みでしょう。ましてや同盟国のアメリカに対しては、靖国神社がどういう位置づけのものであり、宰相の参拝がいかに重要なのか、説明を尽くすべきでした。米国のアーリントン墓地の例を出すまでもなく、どんな国でも、自国のために命を懸けた人に対する感謝や哀悼の意を捧げるのです。日本だけが批判されるいわれはありません。

私が留学していたケンブリッジ大学内に、かのニュートンも学んだトリニティ・カレッジがあります。この礼拝堂の壁には「英国のために命を捧げた卒業生たち」と題して、第一次世界大戦、第二次世界大戦の戦没者の名前が碑に刻まれています。それを「戦争賛美だ」とか「学生を戦争に動員する企てだ」などと批判する人はもちろんいません。

日本の旧帝国大学に、戦争で亡くなった戦没者の名前が掲げられることなどあり得ない。それどころか、「軍事研究に手を染めるな」と言って、防衛省との協力さえ拒むのが日本のインテリ層なのです。イギリスの例と比べても、日本がいかに異常か分かろうというものです。

何より、中国のお先棒を担いで靖国参拝反対の旗を掲げ続けているのが日本のメディアです。特に朝日新聞はその最たるもので、当初は「首相の靖国参拝に反対」などとしていたものが、近年では「閣僚の参拝も自重せよ」と、戦線を拡大しているのです。

二〇一九年十月十九日付の紙面では、秋の例大祭に参加した高市早苗総務大臣と衛藤晟一沖縄北方担当大臣に対し「参拝を自重すべきだ」として、以下のような理由を挙げていました。

〈戦前の日本の対外戦争の戦死者らを祭神とする靖国神社は、軍国主義の精神的支柱となった国家神道の中心的施設だった。

戦後は一宗教法人となったが、現在の政治指導者が参拝すれば、日本が過去の過ちを忘れ、戦前の歴史を正当化しようとしていると受け止められてもおかしくない。中国、韓国両政府が「遺憾」「抗議」を表明したのもそのためだ。

靖国神社には、先の戦争を指導し、東京裁判で厳しく責任を問われたＡ級戦犯十四人も合祀《ごうし》されている。サンフランシスコ講和条約で東京裁判を受け入れ、国際社会に復帰した日本の歩みを否定することにもつながりかねない。〉

〈日韓関係は戦後最悪と言われ、両国の政治家が打開へ向けて知恵を絞ることが求められている。日中関係も来春の習近平国家主席の国賓としての来日を控えた大事な時期である。近隣外交の火種をつくるような振る舞いは賢明とはいえない。〉

「賢明とはいえない」のは、何かと言えば「過去の過ち」を引き合いに出すことしかできない朝日新聞の方です。

国に殉じた人たちに、感謝と哀悼の意を捧げるという一国の宰相として当たり前のことすら許されない。「自国の英雄に手を合わせてはいけない国などないはずだ」となぜ日本の政治指導者は国民に、あるいは国際社会に説明することができないのでしょうか。全く情けない話です。

■日本に生まれればそれだけで「勝ち組」

世界中を見渡せば、日本で生まれればそれだけで「勝ち組」であると言っていいほど、恵まれていることはすぐ分かるはずです。にもかかわらず、「この国に生まれたことは不幸だ」と言ってみせるようなポーズがもてはやされるのはなぜなのでしょうか。

日本人は基本的にまじめで努力家で、創意工夫をするし、働くことに対する忌避感がありません。西欧では労働＝苦役ですが、日本人は働くことに喜びを感じている。私も六十年、日本で暮らしているうちに、すっかり「日本化」して、仕事がないと退屈だと思うようになりました。

「和をもって貴しとなす」という言葉も、基本的には多くの人が信じているし、尊重しようとしているのではないでしょうか。それは時に、だれも責任を取らない「なあなあ」の状況を生むという欠点にもなりますが、穏やかで衝突を好まない性質にもつながり、それが日本社会全体の雰囲気を作り出しているのではないかと思います。

もちろん欠点もあります。慎重すぎて物事を決定するスピードが遅い。根回しをしたうえでの、トップダウンでないと何も動かない。こうした性質は、ますますスピード化が進む社会では世界から後れを取る決定的な原因になります。

また、平等というものをはき違えているのも問題です。日本は能力のある人間でも、特別扱いされるとなると「ずるい」「不公平だ」と言いがちです。そのため、人事におけるサプライズなどは好まれず、年功序列的になり、若くても能力のある人が抜擢されなかったり、むしろ潰されてしまったりします。

その点、台湾は能力のある人を素直に評価し、正当な立場に付くことを不公平などとは言いません。蔡英文政権下で、ＩＱ１８０とも言われる天才的頭脳を持つ唐鳳（オードリー・タン）が三十五歳でＩＴ大臣に抜擢されましたが、彼女の就任と活躍を、台湾人はみな歓迎しています。

こうした人事も、それを喜ぶ風潮も、日本にはあまりない。それはつまりエリートを重要視せず、エリートを生む教育自体を嫌う「悪平等主義」がはびこっているからなのでしょう。

人は法の下に平等なのは言うまでもありませんが、生まれ持った性質や能力は当然のことながら平等ではありません。米倉涼子のような長身の美女がいれば、私のようにスーパーモデルになりたくても、ひざ下が三十センチも足りない人間もいます。

できる人を特別扱いして、社会の役に立ってもらおうとすることさえ、時に差別だ、不公平だと言われかねない雰囲気さえあるのが日本社会です。それが「悪平等」につながり、エリート教育を認めず、減点主義で「仮にある能力が突出していても、常識からはみ出す人間は評価されない」風潮を醸成しています。

私もそうした日本人の発想に困惑してきました。私が主宰していた日本語学校でスピーチコンテストを開催したときのことです。日本人教師が生徒たちのスピーチを採点するのですが、評価はすべて減点方式。文法、発音、時間制限といった部分に着目して、守れなければ減点していく。つまり、秀でたものがある人間よりも、ミスなく無難にこなす人間が評価される仕組みになっていたのです。

そのため、人の心を揺さぶるような立派なスピーチをしたにもかかわらず、文法の間違いがあったことで減点された男子生徒が三位に甘んじ、印象には残らない無難なミスのないスピーチをした生徒が一位になった。さすがに校長の私は「この採点は間違っていますよ」と日本人教師たちに注意したくらいです。

少し欠点があっても、あるいは周りと「平等に」歩調を合わせられなくても、光るものがあればその才能をいかんなく発揮できるように、いい意味での特別扱いをする。それを「ずるい」とか「贔屓だ」とか言って押さえつける、行きすぎた「和」ではなく、与えられた才能を社会全体で認めて伸ばしていくような「和」を目指すことで、日本の総合力はもう一段、高まるはずです。

■日本人に足りないのは「覚悟」

そのために日本人に足りないのは「覚悟」です。日本人に生まれたという「覚悟」、国籍を変えるのであればその際にも「覚悟」がいるでしょう。腹をくくって、自分の人生と向き合い、自分で決断をする。失敗を国や社会のせいにするのではなく、自分で責任を取り、運命を受け入れる。

どの時代の、どの国に、どの親のもとに生まれてくるかは決められません。その運命を受け入れてからこそ、そのことをどう受け止めて背負って生きていくかを考えられる。国家と個人は対立するものではないと言いましたが、それだけではなく「日本人として生まれた意味」を知らなければ、自分の国をどう見て、どう背負って生きていくかを考えることもできないのです。

もし日本人が、物質的経済的には十分恵まれているのに、満ち足りた感覚を覚えられないとすれば、それはアイデンティティを構成する一部である「国家」との関係性を整理できていないからでしょう。

何不自由なく暮らせる平和で豊かな国に生まれた人は、その状況を作り出すまでに先人たちがどのような苦労をしたか、誰も教えてくれなければ、感謝の気持ちは湧いてきません。国のために命を落とした人に手を合わせることすらできない国では、「先人への感謝の心」など持てるはずもありません。

そして、「次の世代にも、この豊かな環境を受け継がなくては」といった発想も出てこない。ましてや「そのために自分は何をすべきか」などという発想が出てくるはずもないのです。

■日本のパスポートは最強である

最後に、私が日本人になって良かったと実感する瞬間について述べておきましょう。
それは、日本のパスポートを取得できたことです。中華民国のパスポートは途中で無効になりましたが、その間、海外に行くのは本当に大変な手続きが必要でした。それが日本人として日本のパスポートを持った瞬間、私は国際社会に歓迎されるようになったのです。

日本のパスポートを持っているだけで、事前のビザ申請なしで訪れることができる国は、実に百九十一カ国にのぼります。

しかも、たとえ事前ビザ申請が必要だとしても、日本パスポート所持者に対する事前審査はさほど厳しくありません。

パスポートなし時代、中華民国パスポート時代を知っているだけに、私には日本パスポートは魔法のパスポート、パスポートにミシュランガイドがあるならば、三ツ星どころか五ツ星のパスポートに思えたほどです。

なぜか。これは、日本の持つ国際社会に対する国家イメージが極めて良好だからであって、ひとえに先人たちが積み重ねてきた功績でもあるのです。本書でも述べてきたように、日本の最大の武器である「信用」が、パスポートの価値を高めているのです。

この重みを、日本人のどれだけが自覚しているでしょうか。これも日本人の欠点ですが、自分たちの恵まれた状況に全く無自覚で、他国がどれほど、日本と比べて「持たざる国」であるかを知らない。想像してみることも、知ろうとすることもないのです。

そうした無知が、自国に対する否定的な認識を加速させている面もあるでしょう。国家を否定し、国旗・国歌を侮辱してはばからない人たちが、当然のような顔をしてパスポートを片手に海外に出ていく。日本国政府が身元を保証しているからこそ、好きな時に海外に出ていけるのに、そのありがたみを知らず、知ろうともしないのです。

もちろん、国家と国民が対立することもあります。私自身、蔣介石の独裁政権時代には、台湾からブラックリストに載せられていたのですから、身をもって知っています。

むしろだからこそ、日本人がこれほど恵まれた状況にありながら、不満ばかり垂れ流している様《さま》には怒りを禁じえません。

■日本人よ、「武器」を磨け！

私は六十歳手前でテレビのコメンテーターとして〝遅咲きのデビュー〟を果たして以来、台湾のことだけではなく、日本についての叱咤激励を折に触れて行ってきました。

私は自分の国の「悪口」を言う人を信用していません。「悪口」とは、日本に対する嫌悪感が先にあり、そのために発せられる批判のことです。

一方、日本を思うがゆえの批判は「悪口」にはなり得ません。時に舌鋒鋭く日本批判を展開しても、それはひとえに日本の国益、社会としてのあるべき姿を追求するために必要があって厳しいことを言っているのであれば、それは愛国心ゆえのことです。

私が時に、「日本人は甘えすぎだ！」と批判しても、「反日だ！」などと言われることがなかったのは、「台湾人」だったときも、「日本人」になってからも、私の文章を読んだり、テレビでの発言を聞いてくださった方々に私の日本への愛情が伝わっていたからだろうと思います。

そしてその根底に、かつての「良き日本」を知っているからこその思いがあることもお分かりいただけるのではないでしょうか。

メディアや教育によって封じられてきた歴史の中に、「日本のいいもの」はたくさんある。戦後の日本人が失ったものの中に、もう一度取り出して磨けば、十分世界で通用するような「武器」があるのです。

十一歳まで日本人だった私が、七十五歳で再び日本人になって十年以上が経ちました。私はこの素晴らしい日本で生活できることに感謝していますし、この素敵な日本をどのように維持し、子や孫の代に引き継ぐか、真剣に考えなければならないと思っています。皆さんも、一緒に頑張りましょう！

愛国心

日本、台湾——我がふたつの祖国への直言

著者　金　美齢

2020年8月5日　初版発行
2020年9月5日　2版発行

金　美齢（きん・びれい）

1934年台北出身。59年に来日し早稲田大学第一文学部英文科入学、71年に大学院文学研究科博士課程修了。多くの大学で講師を歴任、早稲田大学では20年以上英語教育に携わる。75年ケンブリッジ大学客員研究員。88年にJET日本語学校設立。2000年には台湾総統府国策顧問に就任。2009年日本国籍取得。現在は評論家として活動を続けている。著書に『凛とした日本人』『家族という名のクスリ』（PHP研究所）、『戦後日本人の忘れもの』（WAC BUNKO）、『夫婦純愛』（小学館）他多数

発行者　佐藤俊彦

発行所　株式会社ワニ・プラス
〒150-8482
東京都渋谷区恵比寿4-4-9 えびす大黒ビル7F
電話　03-5449-2171（編集）

発売元　株式会社ワニブックス
〒150-8482
東京都渋谷区恵比寿4-4-9 えびす大黒ビル
電話　03-5449-2711（代表）

装丁　橘田浩志（アティック）
柏原宗績

構成　梶原麻衣子

DTP　株式会社ビュロー平林

印刷・製本所　大日本印刷株式会社

ISBN 978-4-8470-6168-4

ワニブックスHP　https://www.wani.co.jp